Catalogage avant publication de Bibliothèque et Archives nationales du Québec et Bibliothèque et Archives Canada

Lemay, François, 1977-

Tout est toujours parfait! : l'art d'accueillir ce qui est

ISBN 978-2-89436-927-2

1. Réalisation de soi. 2. Pleine conscience (Psychologie). I. Titre.

BF637.S4L45 2017 158.1 C2017-940082-7

Avec la participation financière du gouvernement du Canada. | Canadä

Nous remercions la Société de développement des entreprises culturelles du Québec (SODEC) pour son appui à notre programme de publication.

Gouvernement du Québec – Programme de crédit d'impôt pour l'édition de livres – Gestion SODEC.

Conception visuelle : Martine Cédilotte
Mise en pages : Johanne Pépin
Correction et révision : Natalie Côté, Nathalie Hébert, Nathalie Locas et Diane Hébert

Éditeur : Les Éditions Le Dauphin Blanc inc.
Complexe Lebourgneuf, bureau 125
825, boulevard Lebourgneuf
Québec (Québec) G2J 0B9 CANADA
Tél. : 418 845-4045 Téléc. : 418 845-1933
Courriel : info@dauphinblanc.com
Site Web : www.dauphinblanc.com

ISBN version papier : 978-2-89436-927-2

Dépôt légal : 1er trimestre 2017
Bibliothèque nationale du Québec
Bibliothèque et Archives Canada

Données de catalogage disponibles auprès de Bibliothèque et Archives nationales du Québec.

Imprimé au Canada

Tout est toujours PARFAIT!

L'art d'accueillir ce qui est

François Lemay

Le Dauphin Blanc

Remerciements

Je dédie ce tout premier livre à mes deux enfants Éléa et Xavier. Merci de votre joie de vivre et de votre grande patience mes amours et ce, même quand papa travaillait beaucoup. Vous êtes depuis le tout début mon moteur. Croyez en vous mes cocos et croyez en vos rêves. Vous êtes conçus pour réussir, n'en doutez jamais.

J'aimerais remercier ma merveilleuse équipe de révision qui a travaillé avec tout leur amour sur ce projet et même parfois en passant des nuits blanches. Merci Nathalie Hébert de ton soutien et de la grande rigueur avec laquelle tu as su porter ce projet. Merci Natalie Côté de ton attention et de l'amour que tu as su déployer comme toujours afin de m'aider à peaufiner mon message, et merci à ma chère Diane Hébert, la mère poule qui s'assurait que tout soit ok au final. Vous avez toujours été présentes et disponibles pour moi et je vous en serai éternellement reconnaissant.

Merci aussi à Martine Cédilotte, avec qui je suis co-auteur du livre Reconnecte avec toi. *Ton engagement est légendaire et ta flexibilité fut une fois de plus très appréciée. Tu as su amener une fois de plus ce projet à terme et tu as profondément saisi après la production de deux livres et un magazine avec nous, le vrai sens du It's ok, it's a process !*

Merci à mon mentor Martin Latulippe. Je ne te remercierai jamais assez pour tout ce que tu as fait pour moi. Tu es comme un grand frère d'âme qui marche le chemin devant moi et m'accueille avec tant de générosité.

Et finalement merci à ma muse, ma douce moitié, ma complice de vie, ma partenaire d'affaires, mon amoureuse et une mère exceptionnelle, Nathalie Locas. Tu as su comme toujours jouer tous les rôles et faire arriver mes projets les plus fous comme toujours. Tu es une femme d'exception mon amour et c'est un privilège de créer cette vie à tes côtés. Nous avons vécu de grandes contractions ensemble depuis nos tout débuts à tous les niveaux. Mais je me rappelle aussi le moment où on s'était dit nous allons passer ces moments ensemble main dans la main et un jour nous savourerons les grands moments de pleine réalisation ensemble aussi. Nous y sommes ma chérie, je t'aime.

Préface

Mise en garde avant de lire ce livre

La première fois que j'ai rencontré François Lemay, je m'attendais à rencontrer un gars qui se promenait en toge et qui allait passer son temps à me réciter des phrases de sagesse comme le ferait les grands enseignants en Bouddhisme et en pleine conscience tels le Dalaï Lama, Mathieu Ricard ou Tchin Nhat Hanh!

Ces enseignants étaient mes seules références en la matière donc je m'attendais à rencontrer une personne qui, comment dire, allait ressembler un tant soit peu à ces schémas de références.

Après tout, on m'avait dit de François Lemay qu'il faisait énormément de bien avec ses enseignements de pleine conscience et ses retraites de méditation.

Ouff, que ne fut pas ma surprise quand je l'ai rencontré pour la première fois. C'est un gars vêtu d'un jeans, d'espadrilles, un veston sport et un t-shirt « v-neck » qui s'est présenté devant moi avant de se mettre à me faire des blagues et à me parler à une vitesse 100 fois plus vite que les enseignants typiques qui traitent des sujets de la pleine conscience et de la méditation.

Pour les personnes qui connaissent la scène de l'humour Québécois, c'est un peu comme si je venais de rencontrer le Louis-José Houde de la pleine conscience...

En raison de mes idées préconçues, le moindre qu'on puisse dire, c'est que j'ai été surpris, mais en même temps j'ai été charmé dès les premiers instants !

Pourquoi ?
Parce qu'il est vrai et accessible.

Et c'est exactement là que réside toute la magie de l'approche et des enseignements de mon ami et collègue François Lemay.

Le gars ne se prend pas au sérieux, mais ça ne veut pas dire pour autant que sa démarche, son intention et ses propos ne le sont pas.

Voyez-vous, les origines de la pleine conscience remontent à plus de deux millénaires. Le Bouddha, qui a vécu au 6e siècle av. J.-C., fut l'un des personnages historiques qui contribua le plus à éduquer sur l'importance de vivre en conscience.

Aujourd'hui, l'enseignement du Bouddha reste toujours aussi profond et pertinent, mais ça ne veut pas dire pour autant que son enseignement est accessible à tous et à toutes.

Et c'est exactement face à un tel constat que la mission d'un gars comme François Lemay prend tout sons sens.

Un gars normal, sans toge et sans colliers de méditations, qui nous parle de ses échecs, de ses peurs, de son burn-out, de sa faillite, et de ses imperfections et qui nous explique, dans ses mots à lui et en toute humilité, comment la pleine conscience l'a aidé à se propulser vers davantage de cohérence, de connection, d'abondance, de bonheur et de succès.

Tout ça, Francois nous invite à le faire sans jugement, ce qui demeure après tout l'un des plus grands enseignements de la pleine conscience: Perdre l'habitude de juger chaque expérience en «agréable» ou «désagréable».

Être pleinement conscient veut dire être pleinement attentif à ce qui est, sans constamment filtrer selon notre perception subjective.

La clé, suspendre son jugement et accueillir ce qui est.

Cette dernière phrase représente sans doute la plus grande mise en garde que je vous fais face à ce livre qui a le potentiel de transformer votre vie.

Quel est mon point ?

Mon point est que, si vous n'êtes pas prêt à accueillir de nouvelles idées et que vous vous apprêtez à passer la majorité du livre à juger les enseignements de François, vous passerez, selon moi, à côté de la plus grande leçon que François nous offre dans ce livre qui est : Tout est toujours parfait !

Je sais qu'à elle seule, cette affirmation de Tout est toujours parfait en fera réagir plusieurs. Selon votre réaction, vous aurez, à mon sens, deux choix qui se présenteront à vous.

Soit vous vous accrocherez dans la sémantique de cette affirmation et vous vous arrêterez au premier niveau de cette affirmation pour la critiquer et la questionner en trouvant tous les exemples au monde pour justifier pourquoi tout n'est pas toujours parfait, soit vous l'accueillerez et tenterez de vous exercer à perdre l'habitude de juger les expériences en «agréables» ou « désagréables ».

Si vous faites le premier choix, je vais être honnête, je ne sais pas comment et quand ce livre vous aidera. Mais si vous choisissez d'accueillir chaque phrase qui vous fera réagir en cours de lecture en portant attention à ce qui est, sans filtrer selon votre perception subjective, je crois de tout cœur que ce livre sera un véritable cadeau pour vous.

Maintenant que ma mise en garde est faite, il ne me reste plus qu'à vous souhaiter une excellente aventure dans l'univers de François Lemay.

Avec GRATITUDE,
Martin Latulippe, CSP, HoF
Conférencier de renommée internationale,
auteur et Fondateur de l'Académie ZÉROLIMITE

TABLE DES MATIÈRES

Introduction

Introduction

La nature nous enseigne

Si tu pouvais entendre le silence te parler, tu l'entendrais te chuchoter doucement à l'oreille : « Tout est toujours parfait ».

Si tu pouvais entendre la nature te parler, tu entendrais la forêt te chuchoter à l'oreille : « Observe attentivement, tout change, tout est toujours parfait ».

Si tu pouvais entendre les étoiles te parler, tu les entendrais te chuchoter à l'oreille : « Prends du recul et ne te prends pas trop au sérieux, tout est toujours parfait ».

Si tu pouvais entendre les plus beaux paysages te parler, tu les entendrais te chuchoter à l'oreille : « Cette grandeur et cette beauté que tu vois, sont aussi en toi ».

Si tu pouvais entendre la mer te parler, tu l'entendrais te chuchoter à l'oreille : « Allez, viens danser, sois dans le mouvement, n'attends pas d'être totalement prêt. Le moment parfait, c'est maintenant. Tout est toujours parfait alors *go with the flow* ».

Si tu pouvais entendre le soleil du jour te parler, tu l'entendrais te chuchoter à l'oreille : « Savoure pleinement le moment présent et accueille l'abondance exceptionnelle que la vie a à t'offrir ».

Si tu pouvais entendre la nuit te parler, tu l'entendrais te chuchoter à l'oreille : « Accueille simplement, prends ce recul et croismoi, tout reviendra. Laisse la nature faire son œuvre, tout est toujours parfait ». Si tu pouvais entendre ton âme te parler, tu l'entendrais te chuchoter à l'oreille : « Écoute le silence, observe la nature, regarde les étoiles, savoure le soleil, accueille la nuit, honore ta grandeur, et surfe sur les vagues des cycles et du changement. Et surtout, crois en cette force créatrice qui coule en toi et laisse la nature faire son œuvre à travers toi. Car en ce moment et à chaque instant de ta vie, l'Univers conspire à ta pleine réalisation. À chaque souffle de vie que tu expérimentes, crois-moi, tout est toujours parfait dans ce grand plan ».

Par contre ton mental, tu l'entends te parler, il te crie haut et fort: « Danger ! Fais attention ! Il te manque ceci et tout cela. C'est dangereux ! Il ne faut pas que tu te trompes. Tout d'un coup que... ».

C'est dans ces moments que toute la magie dans ta vie disparaît. Mais en réalité, même dans ces moments-là aussi, tout est toujours parfait.

En 2005, alors que je dirigeais depuis six ans ma première entreprise qui comptait à l'époque 20 employés, j'ai eu le privilège exceptionnel de faire l'expérience de vivre un...burn-out, épuisement professionnel et personnel total. Cette période de grande contraction dans ma vie, ce cadeau mal enveloppé, ce burn-out-là, a littéralement transformé le cours de ma vie.

Je dois être honnête avec vous et vous avouer qu'à ce moment-là, si quelqu'un était venu me voir pour me dire : « tout est toujours parfait », probablement que j'aurais voulu l'estamper dans le mur. Oui, oui rien de moins, je me serais dit, mais il est fou ! Il ne comprend rien à ce que je vis présentement ! Moi-même, je ne me comprenais pas ! J'étais constamment triste, je me sentais vide intérieurement, j'étais épuisé et je n'avais qu'une envie... celle de pleurer !

J'étais sans ressources, je me sentais coincé dans une cage dorée. Seul avec mes problèmes, j'étais incapable de concevoir comment j'arriverais à m'en sortir.

Alors honnêtement, j'aurais eu le réflexe à cette époque de dire ton « Tout est toujours parfait », tu peux te le mettre où je pense !!

Mais voilà qu'aujourd'hui, après beaucoup de souffrances, de résistances, un *burn-out*, une faillite, une séparation impliquant un enfant, un revirement complet de carrière, une relocalisation dans un autre coin de pays, des critiques, des jugements, des abandons, des trahisons et j'en passe, je peux affirmer haut et fort que oui, aujourd'hui, j'arrive à percevoir et à accepter que tout est toujours parfait.

Mais j'ai dû faire un grand cheminement intérieur pour percevoir la vie ainsi aujourd'hui.

Tout est toujours parfait même dans ces moments de grandes souffrances, de grandes contractions, de grandes résistances. Cependant, c'est extrêmement difficile à comprendre au moment où on les vit et ça demande une grande ouverture d'esprit.

À ce moment-là de ma vie, je n'avais pas beaucoup d'ouverture d'esprit, aucune compréhension de la conscience ni aucune idée de comment activer mon véritable potentiel. Ce n'est pas que je n'avais pas d'ouverture, mais plutôt que je ne savais pas qu'il existait une possibilité de vivre différemment. Personne ne me l'avait enseigné, pas même à l'école. Je ne l'avais pas vraiment reçu de mes parents car eux non plus ne l'avaient pas reçu des leurs !

À cette époque, j'ignorais tout de ce qui touche au développement personnel et professionnel. En regard de tout ce qui est croyances, comportements humains, résistances, émotions, maîtrise de soi, valeurs, priorités, bref, tout cela m'était totalement inconnu. J'ignorais tout du potentiel propre à l'être humain. J'avais alors 28 ans, et malgré le fait que j'avais déjà beaucoup de succès, je fonctionnais par défaut dans la vie. Fonctionner par défaut selon ma perception, c'est ce que la majorité des êtres humains adoptent en ce moment sur notre planète à titre de comportement. Ils ne font que suivre la masse et réagir à ce qui est. Ils n'ont aucune conscience du plein potentiel de création qui les habite. La plupart des êtres humains ont ce qu'on appelle une conscience endormie.

Mais cela aussi a sa raison d'être, tout est toujours parfait.

Nous sommes pour la majorité en mode survie. On s'étourdit telles des poules sans tête, on manque de temps, on fait des choix incohérents et nous sommes de plus en plus déconnectés de notre véritable nature. On compense inconsciemment ce manque de connexion par la consommation, on cherche à sortir du lot, et nous cherchons constamment à combler ce qui nous manque pour être heureux. Nous amplifions nos insatisfactions, nous réagissons fortement et impulsivement aux résistances et souffrances qui se présentent dans nos vies. Encore pire, on en arrive même à maudire quelques fois la vie.

En réalité, nous fonctionnons de cette façon parce qu'on ignore qu'il y a une autre façon de faire pour vivre dans ce grand jeu qu'est la vie. La vérité, c'est qu'on ignore qu'on l'ignore ! Parfois, pour émerger de cette ignorance, il faut passer par la souffrance.

Annie Marquier, une grande enseignante qui a croisée ma route voilà déjà plusieurs années disait:

« Du manque de conscience naît la souffrance. De la souffrance, naît la conscience. De la conscience disparaît la souffrance ».

En agissant par ignorance et en fonctionnant par pilote automatique, en répétant sans cesse les mêmes réactions conditionnées, nous créons notre vie par défaut et nous activons par le fait même notre pouvoir de manifestation. Cependant, nous créons à partir de notre conscience endormie ce que nous ne voulons pas réellement. Suite à ça, nous entrons donc dans un cycle d'insatisfaction puisque nos manifestations ont été créées à partir du mental et nous n'apprécions pas le résultat qui en découle.

Et le cycle se répète en boucle jusqu'à ce qu'on prenne conscience de cet automatisme et qu'on en retire un enseignement. Même quand nous fonctionnons par défaut et que notre conscience est endormie, croyez-moi, tout est toujours parfait.

Éveilleur de conscience

Plusieurs années après ce burn-out qui fut mon premier point d'éveil de conscience et de bascule, je parcours la francophonie mondiale pour éveiller les gens à leur véritable potentiel. Je suis un coach professionnel, expert en enseignement de pleine conscience et conférencier international. Les plus grandes entreprises de ce monde m'embauchent pour aider leurs organisations à progresser vers un idéal plus cohérent afin de co-créer et performer tout en restant connectées !

J'ai également fondé l'Académie de pleine conscience Kaizen où j'enseigne la méditation et la pleine conscience à des gens venant de partout dans le monde. Je suis aussi le fondateur du mouvement de conscience sociale Inspire-toi qui regroupe des milliers de personnes qui ont à cœur d'incarner le changement que nous voulons voir arriver dans ce monde. Je suis un créateur de changements. J'inspire la possibilité. Je suis un amoureux de l'homme et de sa nature.

Aujourd'hui, je suis profondément convaincu et imprégné par le concept que tout est toujours parfait ! TOUT ! Mais pour arriver à comprendre ce sens profond que les plus grands sages de cette planète sont venus nous enseigner, nous devons absolument arriver à bien comprendre les grandes vérités universelles et à bien les saisir au-delà des apparences.

Nous devons absolument élever notre niveau de conscience et penser en dehors de la boîte. En anglais, on dit : « *Think outside the box* ».

Albert Einstein disait : « On ne peut solutionner un problème au même niveau de conscience qu'il a été créé ». Dans ce livre

« *Tout est toujours parfait, l'art d'accueillir le moment présent* », je vais faire de mon mieux pour vous partager simplement et en toute humilité ma façon de voir la vie. Nous allons ensemble explorer les différentes facettes de l'éveil de conscience afin de mieux comprendre notre vérité ainsi que la possibilité de vivre en cohérence avec qui nous sommes vraiment pour enfin développer un nouveau style de vie en pleine conscience.

Nous sommes des êtres humains. Des êtres privilégiés de venir jouer ici dans ce grand jeu qu'est la vie. L'avons-nous oublié ?

Vous en conviendrez, je suis un grand rêveur. Je suis de ceux et celles qui croient qu'ils peuvent contribuer à changer le monde, de ceux et celles qui voient le monde de façon optimiste. Je suis de ceux et celles qui choisissent de vouloir incarner le changement et de contribuer à le rendre meilleur.

Cependant, au cours de la lecture de ce livre, j'aimerais que vous compreniez que je suis au même niveau que vous. Je ne suis pas meilleur parce que je suis un auteur ou parce que je suis fondateur d'entreprises, parce que je suis un coach ou peu importe le ou les titres qu'on peut me donner. Je suis à la même hauteur que vous, je suis un être humain. J'ai mes qualités, mes talents, mes dons, mes résistances, mes défis et mes souffrances. Mon désir le plus sincère est de rester dans l'humilité et la bienveillance et permettre à mes semblables de devenir la meilleure version d'eux-mêmes.

Je suis conscient que chaque fois que je me permets d'aider les gens en toute humilité sans me prendre trop au sérieux dans ce grand jeu-là, je me réalise de fois en fois. J'ai compris avec le temps que plus j'aide les autres à se réaliser, plus je me réalise. Alors c'est pourquoi j'ai décidé de consacrer ma vie entière à faire vibrer les gens qui m'entourent en leur permettant de donner un sens plus grand et plus profond à ce qu'ils font comme expérience du moment.

Je vais vous partager des clés que j'ai mises en application dans ma vie. Des clés qui m'ont permis à moi ainsi qu'à des milliers de personnes que j'ai aidées et accompagnées à transformer leur réalité. Comme pour n'importe quel enseignement, je vous suggère fortement de lire, peut-être, un chapitre à la fois. Lire un chapitre, lire un paragraphe, lire une ligne et la laisser couler et s'imprégner à l'intérieur de vous.

Si vous tenez ce livre entre les mains en ce moment, c'est qu'il n'y a pas de hasard. Vous êtes rendu là. Et je dis ça, non pas parce que je suis l'enseignant dont vous avez besoin en ce moment, mais parce que je crois profondément que tout est toujours parfait.

Mais avant de débuter la lecture du prochain chapitre, je vous suggère de déposer le livre, de fermer vos yeux et de manifester une intention à travers la lecture de ce dernier. Que ce soit l'intention de vous retrouver, d'avoir des réponses à ce que vous cherchez, d'être bien, de vous apaiser, de vous réaliser, ou de trouver votre chemin, le fait de placer une ferme intention peut transformer littéralement le cours d'une vie.

Alors prenez deux minutes, déposez le livre, fermez les yeux et choisissez de placer une intention que vous porterez en vous tout au long de votre lecture.

Que ce livre que vous tenez entre les mains puisse vous permettre de mieux vous comprendre et vous reconnecter avec qui vous êtes vraiment, afin de sentir émerger en vous cette extraordinaire sensation de pleine réalisation.

Et si
tout avait
sa raison
d'être

CHAPITRE 1

Et si tout avait sa raison d'être ?

« La différence entre l'école et la vie;
à l'école on t'apprend une leçon et ensuite il y a un test.
Dans la vie on te donne un test qui t'enseigne une leçon. »
-Tom Bodett

La grande contraction

Ma première expérience d'éveil s'est faite en 2005, l'année suivant mon burn-out. C'était aussi l'année où allait arriver dans ma vie, mon premier enfant, Xavier. Une partie de moi se disait: « Mais qui suis-je vraiment ? Est-ce que ma façon de vivre ma vie a véritablement un sens ? Qu'est-ce que je veux vraiment transmettre comme bagage à mon fils qui arrivera sous peu ? Peut-être y a-t-il autre chose que ce que j'ai reçu ? Et s'il y avait une autre façon de vivre ? Vais-je être un bon papa ? »

Je me sentais bien seul à penser de la sorte. Je ne m'étais jamais posé ce type de questions auparavant et la conjointe que j'avais à l'époque ne se les posait pas non plus ! Elle était ce qu'il y avait de plus simple. Concernant mes amis, eh bien, il n'était pas question que je leur parle de ce que je vivais. J'imaginais qu'ils se seraient moqués de moi si j'en parlais avec eux.

Mais ce n'était pas à propos des autres ! C'est moi qui remettais toute ma vie en question suite à cette écœurantite aigüe que j'avais de mon travail et de ma course effrénée à vouloir tout acheter, tout posséder. J'avais cette croyance qui m'habitait que lorsque je possédais, j'étais soudainement aimé et surtout reconnu, j'avais l'impression de sortir du lot, j'aimais ça.

Mais encore là, sans le savoir consciemment, tout était toujours parfait et cet événement avait aussi sa raison d'être dans le grand plan.

À la veille d'accueillir Xavier, mon nouveau bébé et de devenir un papa, je me sentais à l'étroit dans une cage de verre que j'avais moi-même érigée.

Entrepreneur dans l'âme, c'est quelques années auparavant, en 1999 que je démarrais donc ma propre entreprise en entretien paysager : ***Lemayeur entretien 4 saisons***. Reconnu dans ma région, j'étais devenu victime de mon succès. Plus de 350 clients à chaque semaine comptaient sur moi pour l'entretien paysager de leur terrain.

Du haut de mes 20 ans, je vous jure que la pression était forte. Voir arriver rapidement les premiers de chaque mois devenait difficile puisque cela représentait le paiement de mes nombreux créanciers. J'avais à la charge un actif et des équipements d'une valeur de près de 500 000 $. Avec une masse salariale de 20 employés, les véhicules spécialisés nécessaires à l'exécution de mes contrats, les différents pick-up et tracteurs, j'avais vraiment de grosses responsabilités financières ainsi que personnelles. Je possédais déjà ma maison, un terrain supplémentaire avec garage, une moto de l'année, un véhicule tout terrain, une motoneige et des véhicules de l'année. La pression et les responsabilités étaient à leur maximum pour un jeune homme d'à peine 20 ans.

Bref, j'étais très reconnu, aimé et respecté dans mon domaine. Pourtant, je fonctionnais par défaut. Sans m'en rendre compte, je faisais les choses pour être aimé et reconnu. Le résultat de mes créations, ce que j'avais semé et mis en place dans ma vie devenait dénué de sens et j'avais du mal à comprendre et à assumer toute cette pression. J'avais peur, je me sentais seul et sans ressources. De plus, j'allais accueillir cet enfant quelques semaines plus tard. Je savais que ça allait bouleverser ma vie, et je n'avais pas le temps pour cela à mon horaire.

Avec toute la pression de l'entreprise, la réalité financière qui me rattrapait, la cage dorée que je m'étais construite et mon besoin élevé de performer, le futur papa qui voulait devenir un papa fort et à la hauteur était perdu intérieurement. J'avais perdu la passion et le feu qui m'animaient pourtant dans le passé. Lorsque je me regardais dans le miroir, je voyais bien qu'une partie de moi était triste. Mais il ne fallait pas le montrer, par chez nous, on était plus proche du travail que de nos émotions.

Mais tout était parfait !

Je crois profondément que tous ces ingrédients s'étant mis en place, ils se réunissaient dans un parfait accord pour me permettre de vivre une de mes plus belles et intenses contractions à vie. Évidemment à ce moment-là, je ne le nommais pas ainsi. Ma vie était de la merde, j'étais perdu et surtout, je me sentais seul dans tout ça. Je ne comprenais pas ce qui se passait. J'étais en plein dans mes souffrances qui devaient émerger et me pousser à faire des choix pour arriver à vivre en cohérence.

Cette période de grandes souffrances, de grandes résistances, fut pour moi une véritable bénédiction. Je peux affirmer aujourd'hui que c'est la plus belle chose qui pouvait m'arriver. Pour être honnête, c'est un cadeau que j'ai déballé sur plusieurs années. Un cadeau qui a laissé ses cicatrices, qui sont aujourd'hui bien guéries et me servent d'alliées.

Surtout, cette période a créé une ouverture. Cette grande contraction a fait naître la toute première fissure de ma carapace. Cette fissure, permettant à ma lumière de passer, m'a permis d'entamer le chemin vers la réalisation d'une meilleure version de qui j'étais.

C'est à ce moment qu'une nouvelle route se traça devant moi. Le chemin vers la reconnexion.

L'audace ou la folie

Ce n'est pas parce que tu vis un éveil de conscience que tout sera désormais tout beau, tout rose. Bien au contraire ! L'éveil nous place, plus souvent qu'à son tour, face à nos vérités et nous met en contact avec nos souffrances.

Pourtant à ce moment précis de ma vie, je pensais le contraire. Je croyais avoir tout compris grâce à quelques formations et quelques lectures. Il y avait cette partie de moi qui faisait peur à mes proches, comme si j'étais illuminé lorsque je me mettais à parler de notre potentiel transformateur ayant le pouvoir de changer nos vies en activant la loi de l'attraction. Vous vous souviendrez que les gens autour de moi m'ont toujours vu comme le jeune entrepreneur manuel à succès.

À ce moment, j'étais en train de basculer vers un nouveau monde qui s'ouvrait à moi. Cependant, je manquais totalement d'ancrage. Je parlais comme un millionnaire. Je n'avais cependant aucun million en poche et j'essayais d'expliquer à tous comment devenir millionnaire. Je croyais détenir l'équation magique sans l'avoir canalisée.

Ouff...comme je devais faire peur !

Suite à la lecture d'un livre, je m'étais lancé dans une multitude de formations se succédant les unes aux autres et qui avaient pour but de pouvoir transformer ma vie. Je croyais que je venais de tout comprendre; les raisons de mon burn-out et comment utiliser et vivre, entre autres, avec la loi de l'attraction.

Après avoir suivi la formation « *Demandez et vous recevrez* » du conférencier Pierre Morency, à Gray Rocks dans les Laurentides au Québec, l'impulsif sommeillant en moi décida à l'époque de poser une action complètement loufoque ! Ce qu'il faut savoir, c'est que Pierre Morency est un conférencier assez particulier. Il accompagne les personnes vers la manifestation de ce qu'ils sont en passant par des enseignements traditionnels aussi combinés à des techniques de respiration et de méditations.

Donc, lors d'une période d'échange, Pierre a interrogé les gens sur ce qu'étaient leurs rêves ?

Je m'en souviens comme si c'était hier. Je n'osais pas prendre le micro car mon cœur battait tellement fort et je détestais toujours parler en public. J'avais tellement peur de parler tout croche pour ensuite me faire juger.

Par contre, une partie de moi voulait réellement faire ce que Pierre accomplissait. Je le modélisais et je voulais enseigner et donner des conférences sur la vie. Je croyais en savoir beaucoup, car j'avais fait toutes ces formations et lu des dizaines de livres, donc mon désir profond d'enseigner se justifiait.

Tout à coup, j'ose me lever pour dire haut et fort : « Moi, je veux faire ta job, je veux devenir comme toi, un conférencier et formateur. »

Mon cœur débattait tellement. C'était la toute première fois que j'osais prendre le micro en public.

Sa réponse fut : « Pourquoi tu veux faire ma job ? Fais la tienne ! C'est facile être conférencier. Tu loues une salle et hop, te voilà conférencier. »

C'était son style à lui. Il était à cette époque, un allumeur d'étincelles avec un style très mystérieux et il captait intensément mon attention par sa façon de faire et d'être.

À la pause, je me suis dirigé à ma chambre et j'ai composé le 411, l'opératrice téléphonique. J'ai demandé le numéro de téléphone d'une salle de spectacles que je connaissais dans la région où j'habitais.

Cette fameuse salle n'était rien de moins que le Vieux Clocher de Magog, une salle très reconnue au Québec. Les plus grands chanteurs et humoristes y ont joué et offrent encore à ce jour des prestations.

Je réserve donc la salle pour le 28 février, soit quatre mois plus tard, pour offrir ma toute première conférence. Je ne savais même pas ce que j'allais dire. La femme au bout du fil me demande : « Quel sera le sujet ? »

Heuuuu, le sujet ?? Le *One man show*, Le jeu de la vie.

Quelques minutes plus tard, voilà que c'était fait. J'avais réservé ma salle et le 28 février suivant, j'allais devenir un conférencier. J'étais complètement angoissé car j'avais agi impulsivement et je n'avais aucune idée de ce que j'allais dire.

De retour au souper avec les gens de la formation, je leur annonce l'action que j'ai posée. Une fois de plus, j'ai sorti du lot et j'ai eu beaucoup d'attention et de reconnaissance. J'étais très heureux car à ce moment de ma vie, je carburais à cette drogue. C'était un petit moment de gloire qui n'était que passager. Au fond de moi, il y avait un volcan prêt à entrer en éruption. Je n'avais qu'une envie, celle de fuir et de crier au secours !!!!!

Le grand jour

Ce qu'il importe de savoir, c'est qu'à cette époque, mes plus grandes peurs étaient celles d'être jugé, d'être critiqué, et bien sûr, de parler en public. Je n'avais jamais parlé en public sauf devant ma classe d'école, et ça ne se passait jamais vraiment très bien. J'aurais tellement voulu être entre le mur et la peinture pour passer inaperçu. C'était ma hantise.

Ce fameux soir du 28 février, j'allais parler devant près de 250 personnes. Hé oui, j'avais réussi à réunir tous ces gens à la première de mon grand rêve. Ce rêve ultime qui allait m'amener à être très connu pour ensuite me permettre de démarrer enfin ma toute nouvelle carrière. J'avais écrit ma conférence mot à mot dans un cahier rouge à couverture rigide. Ma conférence était constituée de 50 pages qui résumaient bien mon état d'esprit ! J'avais évidemment au préalable fait mes devoirs. J'avais réécouté chacun de mes meilleurs disques audio, relu toutes les notes prises au fil du temps et certains des meilleurs livres que j'avais déjà lus.

Par contre, je n'avais jamais pratiqué devant personne, même pas une. Non, je ne voulais surtout pas pratiquer devant des gens car je voulais être certain que personne ne me critique ou ne me juge. Si tel était le cas, ils affecteraient ma confiance en moi et ébranleraient mon estime qui, à ce moment, était bien fragile.

Imaginez ! Je n'avais jamais parlé en public, ni même pratiqué ma conférence devant un miroir. J'avais 250 personnes qui attendaient dans la salle de l'autre côté du rideau. J'entendais certaines voix familières car mes parents étaient présents, ainsi que mes deux frères et ma sœur. Il y avait également mes 20 employés avec leurs amis et conjointes, mes amis de ma « gang » de motos, et la grande majorité des clients de mon entreprise en entretien paysager, venus me supporter et entendre ce que j'avais à dire.

Je suis alors anxieux comme jamais, je ne peux plus reculer. Je sors dehors prendre l'air 10 minutes avant de commencer la soirée. Sur l'enseigne, il était écrit : Le *One man show* Le jeu de la vie avec François Lemay.

Merde ! Je suis totalement angoissé, je ne me rappelle soudainement plus du tout ce que je veux dire. Je m'apprête pourtant à prendre la scène pour leur dire comment vivre leur vie !

Au secours !!!!! Je veux mourir.

Même si à ce moment, je n'étais pas conscient de ce qui se passait réellement dans ma machine, je me rappelle très bien par contre des sensations que j'observais. C'était comme si je vivais deux pôles opposés à la fois. Celui de l'éveil du gars qui veut et sent qu'il doit faire ça car c'est plus grand que lui et de l'autre côté, les peurs qui contaminent tout mon être, du bout des pieds à la pointe de mes cheveux. Je suis totalement désorganisé et loin d'être connecté. J'ai peur, j'ai peur et j'ai très peur.

En écrivant ces lignes, je me rends compte que l'audace finit souvent par payer. Mais était-ce de l'audace ou de la pure folie ? Je crois que l'un ne va pas sans l'autre.

Aujourd'hui, je vis souvent ces mêmes « *feelings* » quand je me lance dans mes projets les plus déraisonnables. La seule différence, c'est que j'arrive maintenant à me maîtriser, me calmer et ralentir ce mental qui peut nous rendre fou.

Le moment de faire mon entrée sur scène est venu... trop vite ! Dès le départ, la foule m'accueille avec un « *standing ovation* ». Et moi, je m'apprête à vivre mes rêves. C'est-à-dire, dire à la foule présente :

« Bonjour tout le monde. Est-ce que ça va biennnnnnn ? »

J'étais nerveux et excité à la fois, littéralement à fleur de peau. L'émotion de profonde reconnaissance du chemin parcouru était palpable. Je ne voulais pas trop la laisser monter car ce sentiment de fierté mélangé avec de la gratitude et aussi de la tristesse, me déstabilisait complètement.

Je commence donc à faire ma prestation avec mon cahier de notes rouge que j'avais placé préalablement sur le banc en sécurité, tout juste à côté de mon verre d'eau.

Voilà qu'après cinq minutes seulement, je ne me rappelle plus du tout de mon texte. J'ai beau chercher dans ma tête ce qu'il y a à la page 3, deuxième paragraphe, ça ne vient pas. Je ne veux pas que les gens s'aperçoivent que je ne sais plus mon texte. Ils seront déçus, surtout que ça ne fait que commencer. Le stress augmente et s'empare littéralement de moi. Je commence à raconter des bouts de conférences se trouvant plus loin dans l'ordre de ma conférence. Je parle avec un débit de voix qui devait ressembler à une vraie diarrhée verbale. J'étais tellement stressé et désorganisé que je marchais d'un côté à l'autre de la scène, sans pouvoir m'arrêter. Les gens dans la foule tournaient la tête en me suivant comme s'ils regardaient un match de tennis.

Ma bouche devint soudainement très pâteuse, on pouvait même l'entendre dans le micro. Mes dents commencèrent à devenir très sèches, à un point tel que mes babines y collaient.

J'avais pourtant de l'eau sur le banc, à côté de mon cahier de notes ! Mais juste à l'idée que si j'allais voir mes notes et que j'en profitais pour boire de l'eau, j'étais effrayé. Ça créerait un silence extrêmement gênant que je n'étais pas prêt à accueillir à ce moment-là, de la pure folie, mon affaire !

Je n'ai pas pu garder ce rythme bien longtemps. Je me sentais totalement jugé par chacun des spectateurs de la salle. Personne ne m'avait mis en garde sur le fait que lorsque les gens regardent un spectacle ou une conférence, ils ont une expression de poupée de cire. Ils ne sont pas tout sourire et ils semblent nous juger. C'était du moins ma perception de l'instant, mais surtout l'une de mes plus grandes blessures que celle du jugement.

Face à face avec mes souffrances

Donc vient le moment fatidique, après environ 10 minutes de scène, où je n'en peux tout simplement plus. J'éclate en sanglots, craquant sous la pression. Je pleure à chaudes larmes, très fort sur scène. Ce qu'il faut que je vous dise, c'est que moi quand je pleure, je pleure. C'est triste en titi !

C'était devenu trop lourd à supporter et j'étais déjà avec les émotions à fleur de peau en arrivant sur scène. Cette journée-là restera gravée à jamais dans ma mémoire. Ce fut une des journées les plus souffrantes de toute ma vie. J'étais face à mes nombreuses blessures. Toutefois, ça avait sa raison d'être. Tout est toujours parfait !

Entrer sur scène avec l'espoir de réaliser tes rêves les plus chers, ceux que tu as visualisés depuis si longtemps et les voir en un seul instant s'écrouler, c'est dur sur le cœur. C'est sentir que les gens non seulement te jugent, mais te prennent maintenant en pitié !

Ouff, disons que ce fut souffrant. C'est simple, je voulais mourir. J'étais complètement perdu, ma conférence n'avait aucun sens. J'étais en train de souffrir en direct sur scène alors que j'étais en train de désamorcer un ego gros comme la Terre. J'étais devant des gens que j'aurais bien aimé impressionner. Eux qui portaient déjà François Lemay en très haute estime, devaient assister en direct à sa pleine réalisation alors qu'il lançait sa nouvelle carrière.

Ce fut un flop total ! Disons que j'ai dû apprendre à développer et prendre contact avec l'humilité. C'était la première fois de ma vie que j'étais dans une humilité forcée.

Mais dans ce grand plan, tout est tellement parfait. À ce moment-là par contre, je n'en savais rien.

Ma mère était assise sur un petit tabouret en bois dans la salle du Vieux Clocher. Hé bien, imaginez-vous donc qu'elle a préféré faire pipi sur son banc plutôt que de se lever pour aller aux toilettes. Elle craignait qu'en la voyant se lever, je m'imaginerais qu'elle quittait la salle. Imaginez ce qu'elle a pu ressentir comme émotion dans son cœur de maman. Voir son enfant s'effondrer littéralement sous les yeux de tous, et souffrir, au lieu de réaliser son rêve tel que prévu ! C'est de l'amour ça, n'est-ce pas ?

C'est drôle car aujourd'hui quand ma mère vient me voir dans mes conférences publiques, je parle souvent de cet épisode. Je dis à tout le monde : « ça adonne bien, ma mère est ici aujourd'hui », et son visage devient rouge !

Je renchéris toujours en disant : « Maman, si tu as envie de faire pipi, ne te gêne pas, tu peux te lever pour aller aux toilettes. » La foule éclate toujours de rire et bien sûr, ma mère aussi. Elle m'a autorisé à partager cette anecdote. Elle a un sens de l'humour et de l'autodérision bien développé. Je ne retiens pas du voisin.

Mais attendez... cette expérience ne s'arrête pas là. Le lendemain matin, je me réveille triste, fort déçu de moi et de ma performance. Je suis découragé et ma carrière de rêve est terminée à jamais. Je porte en moi la honte.

J'avais de la difficulté à réaliser ce qui s'était passé ! Ma vie s'écroulait. Je ne voulais plus revoir ni mes amis, ni mes clients, encore moins mes amis de motos ou mes employés.

Mon besoin de performance était tellement élevé à ce moment de ma vie que je me traitais durement. Je me jugeais, critiquais, je m'auto-sabotais, j'étais très dur envers moi et envers la vie.

C'étaient mes conditionnements automatiques qui embarquaient lorsque j'étais dans mes souffrances. Je ne voulais plus du tout en entendre parler. Je voulais fuir à l'autre bout du monde. J'étais bien ancré dans mes souffrances mais je l'ignorais encore à ce moment.

Par contre, tout a sa raison d'être. Tout était vraiment parfait !

Alors comme chaque matin, je me prépare un bon café et je vais à l'ordinateur pour lire mes courriels. Celui de madame Monique B. m'attendait.

29 février 2008
Bonjour Monsieur Lemay,

Mon mari et moi étions de passage hier dans la magnifique région de Memphrémagog. Nous sommes allés voir votre spectacle conférence " Le One man show : le jeu de la vie ".

J'aimerais vous mentionner, afin de vous rendre service, que c'est la pire conférence que j'ai vue de toute ma vie, je vous suggère de lâcher ça, vous n'êtes pas fait pour ça.

Monique B.

Lorsque j'ai lu ça, j'étais complètement détruit. J'ai pleuré ma vie. En plus d'avoir honte, d'être dans la culpabilité, de me juger, de m'auto-saboter, il y avait quelqu'un qui venait en plus me confirmer que j'avais toutes les raisons du monde de penser ainsi.

C'était comme si la veille, j'avais mangé plusieurs « jab » lors d'un combat et que cette dame venait porter l'« uppercut » final. Mes genoux ont littéralement plié pour me faire tomber au sol.

Mon grand rêve de me réaliser pleinement, de faire des conférences, d'éveiller les consciences et de dire aux gens que c'était possible, s'écroulait. Ce rêve de changer de carrière et ainsi faire comme Pierre Morency, donner des conférences et formations, était parti en fumée.

C'était peine perdue. Ma vie était un flop et j'avais saccagé toutes mes chances de réussite. Ça a été un moment de grande contraction qui a été extrêmement difficile pour moi. Et pourtant, tout avait sa raison d'être. Tout était parfait à cet instant précis. Je vivais ce que je devais vivre. Mais jamais à ce moment je n'aurais pu l'imaginer.

Il s'est écoulé un an et demi avant que je ne revienne sur les planches pour offrir des conférences. J'avais peur de prendre ma place. Peur d'être critiqué et peur de me planter de nouveau. Mais cette dure épreuve m'avait appris quelque chose, je me connaissais mieux maintenant.

Donc, un an et demi plus tard, je décide avec courage de remonter sur les planches. Avec audace, je décide de ne pas être raisonnable comme on me le suggère. « Au lieu de vouloir faire Le Vieux Clocher, pourquoi ne fais-tu pas de petites salles de 20-30 places ? » Aujourd'hui, c'est ce que je recommande à quiconque veut commencer, mais moi à ce moment-là, je ne voulais rien savoir.

Mon ego était encore fort et bien présent. J'ai donc réservé Le Vieux Clocher de Sherbrooke cette fois-ci en plus de rajouter une autre salle de spectacles pour la semaine suivante. C'était la salle le Gésu, située cette fois-ci à Montréal.

Vous savez quoi ? Je me suis planté une deuxième fois. Avec un peu plus d'élégance et en plongeant un peu moins dans mes souffrances, mais je me suis tout de même encore planté. Par contre heureusement que j'avais déjà réservé une date à Montréal car je crois que ça aurait été la fin de mon rêve de devenir un conférencier.

Lors de mon événement au Gésu, j'avais quand même gagné de l'expérience lors des deux conférences précédentes et j'avais donc eu le temps de bonifier mes prestations. Au Gésu, j'ai adoré le « feeling » que j'avais sur scène, et c'est ce seul aspect qui fit de cet événement un succès pour moi. Par la suite, petit à petit, j'ai bâti ma carrière de conférencier. Un pas à la fois, j'ai travaillé sur le conférencier et non sur le contenu de la conférence.

Si tu vibres, n'abandonne surtout pas

Aujourd'hui, je suis conférencier international. Je parcours le monde pour faire des conférences pour aider les gens et les organisations à performer et vivre en pleine conscience. Des centaines de milliers de personnes me suivent au quotidien et veulent entendre le message que j'ai à partager chaque jour.

Imaginez si j'avais abandonné suite à ma première expérience de conférencier au Vieux Clocher. Imaginez si je n'avais pas osé prendre le micro dans ce séminaire et manifester mon intention de faire des conférences.

Imaginez si je n'avais pas pris ces décisions et qu'aujourd'hui on me montrait le film de ma vie. Je suis heureux de les avoir prises ces décisions, parce que le film de la vie que j'aurais abandonné aurait été celui-ci :

- Je parcours le monde pour donner des conférences ;

- Chaque mois, plus de 3 000 personnes se déplacent en salle pour assister au mouvement Inspire-toi, qui est le plus grand mouvement de conscience sociale au Québec dont je suis le fondateur ;

- Des centaines de milliers de personnes me suivent et me disent chaque jour combien ils m'aiment ;

- Je forme d'autres personnes à devenir des Leaders de conscience et je chapeaute, pour l'avoir fondée, l'Académie de pleine conscience Kaizen où j'y enseigne la méditation et de riches enseignements de pleine conscience ;

- J'ai des milliers de personnes de partout dans le monde sur mes programmes en ligne ;

- Je parcours la planète en organisant des voyages de pleine conscience et en prime, je suis grassement payé pour voyager et découvrir la planète ;

- Je suis l'auteur d'un livre pour enfants qui se retrouve dans des milliers de foyers et d'écoles partout dans le monde ;

- Je suis entouré d'une équipe formidable qui travaille activement à changer le monde tout comme moi ;

- Je travaille en collaboration avec les meilleurs intervenants de la croissance personnelle.

Imaginez un peu comment je me serais senti sachant présentement ce que ça aurait donné, si je n'avais pas été persévérant vers mon idéal de vie et que j'avais laissé mes souffrances parler plus fort que mes convictions profondes ?

Mais heureusement, j'ai osé avancer vers la poursuite de mes rêves !

Si je n'avais pas osé, nous ne serions pas connectés vous et moi en ce moment. Ce livre que vous tenez entre vos mains n'existerait pas et n'aiderait pas des milliers de personnes à mieux se comprendre.

Et vous, est-ce qu'il y a quelque chose qui vous fait vibrer et qui vous tient à cœur mais que vous avez décidé de laisser tomber pour des résistances ou certaines souffrances ?

Et si c'était possible de vous présenter le film de votre vie, aimeriez-vous le voir ou non ? Osez prendre votre place et suivre vos rêves et convictions.

« Quoi que tu rêves d'entreprendre, commence-le.
L'audace a du génie, du pouvoir, de la magie. » - Goethe

Le but ici n'est SURTOUT PAS de tomber dans la culpabilité et dans les « j'aurais donc dû ». Le but est de vous ouvrir à la possibilité que nous avons tous le potentiel de réaliser nos rêves dans ce grand jeu de la vie.

Le but est également de nous inspirer la possibilité d'oser se choisir et de se connecter avec ce qui vibre à l'intérieur de nous. D'accepter que oui, il y aura des contractions en cours de route et que c'est normal, comme mon expérience de burn-out ou encore celle de la scène du Vieux Clocher. Les résistances sont là pour nous faire progresser dans notre cheminement.

Peu importe où vous en êtes présentement dans votre cheminement. *It's ok !! It's a process.* C'est un long chemin et une longue route qui ne se termineront jamais. Il y aura des cycles de contractions et d'expansions et ce, jusqu'à la fin de vos jours.

Pouvons-nous accueillir ces cycles de la vie et vivre en cohérence avec ceux-ci ? Après tout, nous sommes nés dans la plus grande contraction qui soit, notre naissance. Et comme toutes les contractions, elle est passée et ne dure pas éternellement.

Ce qui doit être sera de toute façon. Voilà le constat que je fais plus j'avance sur le chemin de la pleine conscience. J'avais besoin de passer par chaque expérience placée jusqu'à maintenant sur mon chemin afin que mon histoire prenne forme et devienne une source d'inspiration, une histoire à partager et à honorer.

Mais surtout, j'avais besoin de passer par chaque contraction et chaque expansion, afin de libérer mon véritable potentiel et me reconnecter davantage avec qui je suis réellement.

Tout est toujours parfait dans ce grand plan. ***TOUT !***

L'intuition

CHAPITRE 2

L'intuition

« Ce que je vous demande, c'est d'ouvrir votre esprit, non de croire. »
Jiddu Krishnamurti

Le pouvoir de choisir

L'un de nos plus grands pouvoirs est celui de choisir. Choisir la direction que l'on veut prendre. Choisir ce qui nous convient ou non. Choisir ce sur quoi nous allons placer notre attention. Choisir ce qui nous fait vibrer à chaque instant.

Tout au long de notre cheminement, nous avons besoin de prendre des décisions. Parfois, elles sont réfléchies suite à une bonne analyse du pour et du contre et parfois, elles sont complètement déraisonnables et n'ont absolument aucun sens. Aucun sens pour les autres, mais elles peuvent avoir parfois un sens pour nous. Est-ce que ça vous est déjà arrivé de prendre une décision qui n'avait aucun sens, mais qui s'est ensuite transformée en la meilleure décision que vous ayez pu prendre ?

Je suis convaincu que oui.

Je suis aussi convaincu que vous avez déjà pris des décisions complètement impulsives et déraisonnables qui se sont avérées aussi être un cauchemar, n'est-ce pas ?

Le GPS intérieur

De mon côté, je ne suis pas du style très analytique. Je ne suis pas quelqu'un qui passe des heures et des heures à évaluer les pour et les contre. Bien sûr, je sais le faire et je le fais dans certaines situations, mais la majorité du temps, je suis plutôt de style intuitif.

Aujourd'hui, je sais très bien que lorsque je suis en train d'évaluer les pour et les contre et d'analyser, je dirais plutôt suranalyser, c'est tout simplement parce que je suis à côté de la « track ». L'insécurité embarque alors très rapidement et la peur de me tromper, ou de passer à côté de quelque chose prend place dans mon esprit. Je suis alors déconnecté de ma véritable nature et je fonctionne par défaut avec mon mental, tout en limitant mon potentiel.

Ce qu'il faut savoir pour l'instant, c'est que l'insécurité et la connexion ne peuvent être présentes toutes les deux en même temps. Je ne peux faire grandir et entretenir ma connexion avec ce qui est, et être en résistance avec mes peurs et mon insécurité.

C'EST IMPOSSIBLE !

Dès que mes insécurités sont nourries, la déconnexion se fait. Mais paradoxalement, c'est grâce aux insécurités et aux résistances que le chemin de la reconnexion apparaît. Tout a sa raison d'être !

Nous aurons l'opportunité d'explorer plus en détails ce point dans les prochains chapitres.

La beauté de la connexion à soi, est que notre corps nous parle et nous guide à chaque instant. Si nous arrivons à développer un excellent sens de l'observation et un bon niveau d'acceptation, la magie de l'intuition commencera à s'installer dans notre vie.

L'intuition est l'un des piliers de la pleine conscience. Il y en a 12 au total. Je vous les partage prochainement dans un chapitre en regard des piliers de la pleine conscience.

L'intuition est un sujet auquel je pourrais consacrer un livre entier. Je consacre actuellement ma vie à mieux comprendre notre fonctionnement et activer ce grand pouvoir qui est en nous.

Pour moi, l'intuition, c'est notre GPS intérieur. C'est ce qui nous guide sur le chemin à emprunter pour arriver à notre pleine réalisation. C'est ce qui nous pousse à choisir ce virement à droite, plutôt que celui de gauche. Notre machine nous parle à chaque instant. L'écoutons-nous réellement ?

Lorsqu'on commence véritablement à co-créer avec ce grand plan et vivre en cohérence avec nos intuitions, il se manifeste alors beaucoup de magie dans notre vie.

Par contre, lorsqu'on fonctionne sans intuition, nous nous coupons d'une énorme partie de notre plein potentiel. On fonctionne alors uniquement avec notre mental et ce dernier nous plonge rapidement dans nos peurs. Ce qui cause donc par la suite : stress, angoisse, anxiété et une multitude de réactions inconscientes. C'est alors qu'on se met à analyser et suranalyser, et bien souvent, quand on analyse trop, on paralyse.

Mais si c'est votre cas, *It's ok* ! Tout est toujours parfait !

Apprivoiser l'intuition

Cependant, avant de devenir maître dans l'art d'utiliser notre intuition, je vous suggère d'apprendre à calmer ce mental qui brouille toute la réalité avec son agitation en continu. Tout est déjà là et notre machine nous guide à chaque instant. Le mental qui brouille la réalité, c'est comme si nous avions un GPS dans notre voiture et que nous n'osions jamais suivre les indications fournies, de peur qu'elles ne soient mauvaises. Notre mental agit de la même façon avec nos décisions. Il les brouille et nous craignons d'avancer par peur, par doute, par manque de confiance.

Apprendre à bien observer notre machine demande beaucoup de pratique. Mais vivre en pleine conscience de cette façon nous servira ensuite pour le reste de notre vie.

Il faut observer notamment plusieurs choses en vous :

L'émotion qui vous habite :
Enthousiasme, excitation, paix, sérénité, tristesse, etc.

Le souffle de vie :
Vous sentez l'énergie couler en vous et elle vous élève ou vous draine.

Les étoiles dans vos yeux :
Vous rayonnez ou vous êtes éteint.

Une sensation d'ouverture ou de fermeture :
Les épaules et le plexus ouverts ou plutôt refermés sur soi.

Les sensations dans votre corps :
Chair de poule, frissons, légèreté, ancrage, pression, tension.

La façon dont l'idée est apparue :
Spontanément, ou s'est développée lentement.

Bref, il y a plusieurs points qu'on doit apprendre à relever afin de bien lire notre guidance. L'idée qui vient de l'intuition ne se développe pas tranquillement. C'est le mental qui agit ainsi. Lorsque nous sommes agités, on peut ne pas percevoir l'intuition, mais lorsque nous sommes dans un état de présence, l'intuition nous accompagne et on la ressent clairement.

Savez-vous comment se manifeste dans votre machine une forte intuition qui vous fait vibrer ?

Personnellement, c'est comme si un courant parcourait mon corps. Il passe de ma tête, dans toute la région du cuir chevelu, pour descendre ensuite dans ma nuque en me parcourant les deux bras. Je ressens un frisson qui s'ensuit d'une chair de poule. Pour moi, ce signal veut dire que je me situe dans une juste vérité.

Et vous, connaissez-vous votre machine ? L'avez-vous suffisamment observée pour être en mesure d'expliquer comment se manifeste une intuition dans votre corps ?

Souvent les gens qui viennent à l'Académie Kaizen sont avides d'apprendre comment suivre cette petite voix et désirent savoir comment je fais pour utiliser aussi efficacement mon intuition.

Aujourd'hui, la grande majorité de mes décisions, autant d'affaires que personnelles, sont prises avec mon intuition. Je sens les bonnes choses à faire ou celles dont je dois me détourner tout simplement. Mais derrière une décision à prendre, suite à une intuition, il y a souvent nos fameuses souffrances qui prennent place. Peur de décevoir si je fais ça, peur de me planter, peur de ne pas réussir, ou encore une que j'ai eu longtemps, peur d'avoir trop de succès et de me perdre.

Il faut idéalement les accueillir car elles ont leurs raisons d'être dans ce grand jeu. Dans un cheminement de pleine conscience, ces résistances sont des bijoux.

Acceptez ce que vous faites comme expérience lorsque les peurs se manifestent. *It's a process !* Tout a sa raison d'être dans ce grand plan. Tout est toujours parfait. On veut déballer et accueillir ces résistances en pleine conscience.

Si le mental parle trop fort lorsque l'intuition se présentera, nous nous demanderons : est-ce que c'est l'intuition ou est-ce le mental ? Et déjà à partir de ce moment-là, le doute nous déconnecte et nous ne sommes déjà plus dans le flot de la vie.

L'intuition et la peur

Aujourd'hui, la grande majorité de mes décisions sont prises en suivant ma guidance intérieure, mon intuition. Pour moi la guidance et l'intuition sont la même chose.

Que ce soit lors de la création du mouvement de conscience sociale Inspire-toi, que ce soit lorsque j'ai décidé de créer l'Académie de pleine conscience Kaizen, que ce soit lorsque j'ai décidé d'enseigner mon tout premier programme de méditation ou même en écrivant le livre que vous lisez présentement, je me laisse porter par ma guidance à chaque instant. Par contre, les peurs sont toujours là, pas très loin de l'autre côté.

Je me rappelle quand j'ai décidé que j'enseignerais la méditation et la reconnexion, je revenais d'une retraite de silence Vipassana de 10 jours. J'étais connecté avec ma vérité et j'allais annoncer à ma femme, Nathalie, que j'allais créer un programme de méditation et faire des retraites. Elle me regarda alors et me dit :

« Mais qu'est-ce que tu vas dire ? Tu crois vraiment que ça va fonctionner ? » - Elle était habitée par l'énergie du doute.

Je m'en souviens comme si c'était hier. Nous étions au bout du comptoir dans notre cuisine, et suite à sa réaction je me rappelle être instantanément retombé dans mes peurs en me disant :

« Mais c'est vrai… je suis qui pour faire ça moi ? »

« Les autres sont bien meilleurs que moi. »

J'avais le syndrome de l'imposteur très présent. Mais en même temps, j'étais conscient de ce que je vivais dans l'instant présent et j'ai décidé d'accueillir ces peurs. Nathalie, sans le savoir, faisait du transfert avec ses propres peurs. Elle portait elle aussi le syndrome de l'imposteur et la peur de ne pas être à la hauteur.

Mais tout était vraiment parfait. Je devais vivre ça ! Mais je ne le voyais pas à ce moment. Je voyais plutôt qu'elle « pétait ma balloune » et me mettait une fois de plus en doute par rapport à mes projets et à moi-même. Elle était très bonne là-dedans, soit dit en passant et ça avait sa raison d'être à ce moment-là. C'était comme si ses blessures stimulaient et réactivaient les miennes. C'est un peu ça un couple après tout. Nous sommes là pour se faire grandir mutuellement et se libérer main dans la main.

Par contre, l'intuition ressentie lors de cette retraite Vipassana était tellement forte. De plus, elle était apparue clairement dans un moment de recul en pleine nature lors d'une retraite. Donc, elle ne provenait d'aucune source d'influence extérieure. La guidance était claire et émanait de la source intérieure. C'était fort ! Je vibrais clairement. Je me sentais pleinement ouvert.

Aujourd'hui, quelques années plus tard, Nathalie a laissé de côté son travail de policière et enseigne avec moi dans nos retraites de pleine conscience. Elle y enseigne le yoga. Nos retraites affichent toujours complet et des gens de partout dans le monde viennent au Québec pour y vivre l'expérience. C'est ce que j'offre de plus simple, vrai et puissant à la fois. C'est la reconnexion avec notre véritable nature.

Imaginez si je n'avais pas suivi mes intuitions ? Imaginez si j'avais laissé mes peurs prendre le contrôle de ma vie ? Heureusement que j'ai été assez fou pour oser suivre mes intuitions. Une fois de plus, ça prenait une bonne dose de folie et d'audace pour avancer dans cette direction.

Et vous, sur quoi porte votre attention la majorité du temps, sur vos intuitions et vos guidances ou sur vos peurs et vos souffrances ?

Peu importe la réponse, *it's ok, it's a process*. Tout s'apprend avec la pleine conscience. Un pas à la fois, accueillez ce qui se présente à vous.

Avez-vous une bonne connexion ?

Pour moi, l'intuition est un signal de l'au-delà. C'est-à-dire un signal provenant de plus grand que moi. Un message que je reçois, qui vibre avec ma vérité profonde, mon essence.

Ma perception du rôle de l'intuition, c'est comme l'Internet. On peut y trouver énormément de solutions ou de guidance, mais pour l'utiliser efficacement, il faut d'abord et avant tout être bien connecté.

Mais qu'est-ce qu'être connecté ?

Être connecté, c'est être à l'écoute de ce qui est.

Être connecté, c'est être attentif au moment présent.

Être connecté, c'est être dans l'accueil et l'acceptation la plus totale.

Être connecté, c'est être en cohérence avec la nature.

Être connecté, c'est être dans notre vulnérabilité.

Être connecté, c'est être dans le flot de la vie.

Être connecté, c'est être dans l'amour.

Être connecté, c'est être en communion avec notre essence.

Être connecté, c'est être, tout simplement.

Dans les chapitres qui suivent, je vais vous partager comment concrètement nous pouvons nous reconnecter à l'instant présent et avec notre véritable nature. Mais pour l'instant, continuons d'approfondir l'intuition.

Est-ce que si je suis mon intuition, la vie sera toujours belle et je connaîtrai le succès ? La réponse est non.

Je l'ai dit et je le répète, l'intuition vous guidera là où vous devez aller pour votre plus grand bien et la pleine réalisation de votre âme, rien de plus, rien de moins.

Prenons par exemple, au chapitre précédent, quand j'ai décidé de vouloir lancer ma première conférence. J'ai réservé la salle parce que je le sentais. C'était une intuition tellement puissante qui faisait vibrer chacune de mes cellules. C'est ce qui m'a poussé à prendre le téléphone et à sortir de ma zone de confort, même si les peurs me hantaient. C'est ce qui m'a fait réserver le Vieux Clocher de Magog. Au final, est-ce que cet événement m'a amené la joie et le succès ? Pas du tout, si vous saviez comment je me sentais. J'ai même qualifié à plusieurs reprises cette expérience de flop monumental. Et pourtant, c'était une intuition.

Mais en réalité, je devais passer par là afin d'assimiler plusieurs apprentissages. J'ai été mis face à mes plus grandes souffrances qui devaient émerger pour éventuellement pouvoir m'en libérer et arriver à faire ce travail de conférencier. Ce que je percevais à l'époque et ce que je perçois aujourd'hui est à peu près similaire. Ce n'était pas pour devenir conférencier ou une célébrité, mais bien pour reconnecter avec ma vraie nature et avec la mission que je m'étais donnée. Ça, je l'ai toujours senti depuis mon éveil. Le reste n'est qu'un processus de libération.

L'intuition ne va pas nous emmener là où il y a le succès. L'intuition va nous emmener exactement là où on doit être, en expérimentant ainsi ce que nous avons besoin de vivre pour reconnecter avec qui nous sommes vraiment et atteindre notre idéal de vie.

L'intuition va nous guider pas à pas. L'intuition est la grande voix de l'inconnu vers laquelle nous pousse notre destinée.

L'intuition, c'est comme le GPS intérieur. Le GPS qui nous dit : tourne par ici, fais demi-tour ou encore mieux : vous êtes arrivé à destination.

Notre intuition nous dit : tu devrais rencontrer cette personne, ou appeler celle-ci. Elle nous dit également : vas-y, fais un pas vers la vie de tes rêves. Parfois même, elle nous murmure de laisser aller, de nous retirer ou de prendre un recul.

Mais l'écoutons-nous vraiment ?

Quand l'intuition se manifeste, c'est pour être utilisée idéalement à court terme. Parce que la plus grande vérité dans ce monde, c'est que tout change constamment.

Donc vous devez vous connecter le plus souvent possible à votre ressenti. Développez une meilleure conscience de l'instant présent afin d'arriver à bien percevoir le signal émis par votre machine. À chaque instant, notre corps et notre esprit nous parlent. Nous devons ralentir nos pensées et développer notre attention pour l'écouter et agir en cohérence avec ces derniers.

L'intuition nous guidera en cours de route

Vous est-il déjà arrivé d'avoir une idée de génie et d'avoir cette conviction profonde que tout fonctionnera ? Assurément, n'est-ce pas ?

Vous est-il déjà arrivé de ne pas avoir suivi cette intuition, c'est-à-dire de ne pas être passé à l'action en alignement avec celle-ci et que quelques jours plus tard vous ne la sentiez plus du tout et même que vous doutiez de cette idée et de vous-même ? Je suis également convaincu que oui.

Lorsque l'intuition se présente, on doit la consommer sur le champ ! Il faut l'ancrer dans le moment présent afin de la voir se concrétiser. Les synchronicités apparaîtront par la suite partout dans notre vie. Je me plais souvent à dire qu'on doit se concentrer sur le pourquoi on fait les choses. Quelle est notre intention profonde. Mais tout ce qui est de l'ordre du comment, ce n'est pas de notre ressort ! Il faut laisser la vie faire son œuvre. Mais cela demande un grand détachement.

L'intuition nous guidera en cours de route.

Arriver à penser de cette façon n'est pas évident, n'est-ce pas ? Je suis persuadé qu'une partie de vous aimerait croire que cette façon de vivre est la bonne. Mais je suis aussi persuadé qu'une autre partie, l'ego et le mental vous disent :

« François, on ne peut pas toujours prendre nos décisions avec nos intuitions ! »

Je vous l'accorde.

Lorsque je fais couler mon bain, je n'y vais pas avec mon intuition, je vérifie la température avant d'embarquer dedans. Par contre, pour décider de prendre un bain, j'ai préalablement écouté mon corps qui me disait, va relaxer dans un bain, prends une pause, un recul. Vous voyez ?

Comme avec un GPS que nous programmons. Imaginez que vous êtes actuellement à Montréal et que vous désirez aller vers New York. Le GPS vous guidera pas à pas tout au long de la route. Il vous suggérera de prendre la prochaine sortie, ou de faire demi-tour, mais vous n'êtes pas obligé de l'écouter. Chose certaine, le GPS ne va pas vous donner les directions cinq heures à l'avance. Il vous guidera à chaque instant, à chaque moment. Et si vous vous perdez, il se réajustera à chaque instant pour vous donner le meilleur chemin à prendre. Vous pourrez à nouveau l'écouter, ou non.

C'est la même chose avec l'intuition, nous ne sommes pas dans l'obligation de l'utiliser. Nous ne sommes pas non plus dans l'obligation de l'écouter.

Mais je vous assure que si vous êtes comme moi et que vous désirez vous réaliser à votre plein potentiel, suivre vos intuitions sera un allié clé vers la pleine réalisation des désirs profonds de votre âme.

Fonctionner en cohérence avec notre intuition, c'est dire oui à l'apparition de la magie dans notre vie.

Êtes-vous prêt à recevoir de la magie dans votre vie ? Est-ce vraiment un désir véritable de savourer votre plein potentiel créateur ?

Laissez à présent l'intuition vous guider en cours de route et vous verrez la magie se déployer sous vos yeux. *It's a process !*

Des modèles intuitifs

L'intuition ne peut pas être planifiée. L'intuition vient dans l'instant présent. De la même façon qu'au moment d'écrire ces lignes, l'intuition m'accompagne. Je prends ce qui vient et j'écris sans analyser. Si j'analyse ce que j'écris, je coupe le flot de mon inspiration.

L'intuition, la guidance et l'inspiration ne peuvent se préparer, se structurer. Elle est et se présente tout simplement au moment juste.

J'ai décidé d'écrire ce livre de façon totalement inspirée parce que mon intuition me disait :

« Fais confiance, tu verras, tout sera là au bon moment. »

Ça me fait encore peur aujourd'hui de fonctionner de cette façon. Mais *it's ok !!!* Tout est toujours parfait ! Je me dois d'apprivoiser cette insécurité, ce n'est qu'une illusion après tout.

Je le fais dans l'instant présent, avec mon cœur et les idées qui viennent. Je veux tout simplement me laisser guider, me laisser porter et laisser couler à travers moi tous les mots qui se manifestent pour le plus grand bien de chacun des lecteurs qui liront un jour ce livre.

Autrement, si j'utilise seulement ma tête pour écrire un livre, je serai dans mes notes et références émanant de d'autres livres et ce n'est pas ce que j'aspire à être comme auteur dans mon idéal de vie.

J'aspire à être un canal et laisser passer un message plus grand que moi comme les Eckhart Tolle avec « *Le pouvoir du moment présent* », Wayne Dyer avec « *Le pouvoir de l'intention* », Paulo Coelho avec « *L'Alchimiste* » et Don Miguel Ruiz avec « *Les 4 accords Toltèques* ». Quatre modèles qui m'inspirent énormément par leur façon d'être. Pour ce faire, je dois avoir la ferme intention d'être ainsi et entretenir le canal.

Beaucoup de gens aimeraient être intuitifs et fonctionner dans leur vie, entre autres, comme le fondateur du Cirque du Soleil, Guy Laliberté, comme l'entrepreneur à succès et fondateur de Virgin, Richard Branson, comme l'animatrice bien connue, Oprah Winfrey, comme la chanteuse, Céline Dion ou encore comme l'innovant et le génial, Elon Musk, le PDG de Tesla.

Ces gens bien connus par leur succès planétaire, ont plusieurs choses en commun. Ils ont une vision plus grande qu'eux. Ils contribuent à rendre le monde meilleur, ils sont en mission. Et finalement, ils demandent et suivent leur intuition.

Beaucoup de gens aimeraient être comme eux. Mais beaucoup ignorent que se cache derrière un grand travail sur soi. Pour suivre leurs intuitions dans leurs affaires et dans leurs vies, ces entrepreneurs intuitifs ont dû se libérer de beaucoup de souffrances en cours de route pour arriver à vivre en cohérence avec leur véritable potentiel.

En réalité, très peu de gens arriveront à faire comme eux. Pourquoi ? Pas parce que c'est impossible, mais bien parce qu'une grande majorité d'humains cherchent à contrôler ce qui est. Ils deviennent alors déconnectés du flot de la vie.

Mais dans le grand plan, tout est toujours parfait. Le but est de s'éveiller en conscience afin de se libérer de ces conditionnements inconscients pour enfin vivre en harmonie avec la vie.

Parce que notre besoin de vouloir tout contrôler nous empêche de ressentir ce qui coule réellement à l'intérieur de nous. Nous sommes en résistance et nous voulons cadrer nos objectifs avec nos actions et notre mental.

« Je pense que c'est là le meilleur des conseils : Pensez constamment à comment vous pourriez mieux faire les choses et remettez-vous personnellement en question. Pas seulement dans votre façon de faire, mais bien dans votre façon d'être. » - Elon Musk

---

Apprendre dans le flot

Pour être en mesure de suivre notre intuition, nous devons absolument faire *go with the flow* avec la vie. Laisser la vie être la vie à travers nous. Mais cela demande un grand travail sur soi et une bonne compréhension de l'acceptation.

Aujourd'hui, c'est ce qui m'intéresse le plus et qui m'interpelle dans mon cheminement. Laisser la vie être la vie à travers moi. Me laisser guider, porter par ce qui est. Écouter ce que la vie me chuchote à l'oreille. L'écouter et partager par la suite ses messages que je reçois autant quand j'écris ce livre que lorsque je donne une conférence.

Aujourd'hui, je n'ai pas d'intérêt à seulement faire des coups d'argent. Ce n'est pas ce qui m'intéresse le plus. Oui, je veux me réaliser. Oui, je veux bien gagner ma vie. Oui, je veux être dans l'abondance sous toutes ses formes, et je le suis de toute façon.

Mais ce qui m'intéresse le plus, c'est d'éveiller et d'activer mon véritable potentiel. C'est également me libérer et surtout en m'amusant dans ce processus de pleine réalisation. C'est jouer le jeu de la vie en testant mes intuitions. C'est aussi m'amuser avec tout ça, sans me prendre trop au sérieux.

Le potentiel humain et la vie me passionnent tellement. Et je n'en connais que très peu par rapport à toutes les potentialités. C'est un monde sans fin et plein de mystères.

Ce que vous cherchez vous cherche aussi

Ce que je suis en train de faire présentement et ce, depuis le début de la création du livre, c'est demander et laisser la guidance couler à l'intérieur de moi. Je me suis fait la promesse de ne pas écrire un livre pour simplement écrire un livre, mais dans le but de partager et toucher le cœur des gens.

Une autre grande force de la guidance, c'est que lorsque tu demandes, ce que tu reçois est exactement ce que les gens ont besoin d'entendre en ce moment. Pourquoi ?

Je vous partage ma vision par rapport à ça.

Imaginez que nous avons des guides. Oui, oui des guides invisibles, des entités qui nous accompagnent à chaque instant. Personnellement, dans les dernières années, j'ai pu apercevoir à quelques reprises mes guides. Je demande d'être ouvert à cette réalité, donc de plus en plus mon esprit arrive à capter ces niveaux de conscience subtils. Mais est-ce que je peux le faire régulièrement et sur demande ? Pas du tout, du moins pas pour l'instant.

Présentement alors que je suis en train de vous écrire, je ne perçois pas mes guides à côté de moi. Mais à plusieurs moments dans ma vie, j'ai été en mesure de les percevoir et ce, très clairement. Ce canal-là n'est pas encore parfaitement ouvert pour moi. Mais je vous assure que pour arriver à vous en parler dans ce livre, il faut premièrement que je sois libéré du jugement et deuxièmement, que je sois convaincu de cette existence-là. Et je le suis. Ce n'est pas parce que je ne maîtrise pas ça que cela n'existe pas. Je ne vois pas les auras, mais je suis convaincu que ça existe ! Il existe tout un monde subtil dans ce grand jeu de la vie et cela me passionne au plus haut point.

Donc, ma perception de tout ça, c'est que lorsque je demande, je demande à mes guides et les guides, eux, sont connectés entre eux. Ça paraît bizarre dire ça hein ? Mais je dois vous le dire.

Les guides sont connectés aux gens. Et ces guides-là insufflent à mes guides ce que je dois dire exactement en ce moment. J'écoute ma guidance, qui se manifeste alors par une inspiration.

Vous n'avez pas idée du nombre de fois où j'ai fait une vidéo ou que j'ai fait un *post* sur Facebook et que les gens m'ont écrit en me disant : c'est exactement ce que j'avais besoin d'entendre, c'est hallucinant ! J'ai ce genre de commentaires plusieurs fois par jour. Ou encore on m'écrit : « François, tu es apparu dans ma vie au moment où j'en avais le plus besoin ! »

Et je suis certain qu'avec ce livre que je suis en train de rédiger présentement, certaines personnes m'écriront après l'avoir lu pour me dire : C'est exactement ce que j'avais besoin de lire pour m'aider dans cette période de ma vie. On dirait qu'il a été écrit pour moi, ce livre.

Et c'est là que tout est toujours parfait dans ce grand plan. Tout a sa raison d'être. Tous les projets, toutes les idées, tous les êtres humains, tout est interconnecté.

Peu importe où nous en sommes dans notre vie en ce moment, l'intuition est là pour nous montrer le juste chemin de la pleine réalisation de notre âme.

Que vous soyez dans un moment plutôt pénible et pris dans vos souffrances ou encore que vous soyez dans le flot de la vie et en pleine réalisation, demandez guidance. C'est une façon magique de connecter avec la réalité que l'on veut voir se manifester dans notre vie.

Rappelez-vous, nous sommes tous interconnectés. Ce que vous cherchez vous cherche aussi.

Personnellement, c'est ce genre d'enseignant-là que je veux être dans la vie. Connecté à ma vérité et connecté avec les gens. J'ai été en cours de route inspiré par différents mentors, différents conférenciers. J'en ai modélisé certains jusqu'au moment où je me suis tourné vers la nature. La nature est ce que je veux modéliser de plus en plus. Je veux arriver à laisser la vie être la vie à travers moi...tout simplement. Ce n'est pas plus compliqué que ça. Mais ça demande tout de même une grande maîtrise de soi et il y a encore beaucoup de travail à faire.

It's okkkkk, it's a process !

La vérité au fond de nous

Au cours de mon cheminement, je me suis régulièrement entouré de coachs et de mentors. L'une d'entre elles s'appelait Nathalie. Je crois même qu'aujourd'hui elle s'appelle encore Nathalie. Une autre Nathalie dans ma vie. Je suis également entouré dans mon équipe par quatre Nathalie. C'est donc dire l'abondance des Nathalie pour moi !

Revenons à celle qui s'appelle toujours Nathalie ! Elle travaille plutôt avec mon énergie et la libération des blessures profondément ancrées en moi. Elle travaille avec ses guides et par le fait même, arrive à canaliser avec les miens. Nathalie est une femme de nature très douce. Jamais un mot plus haut que l'autre ! Elle est habitée que d'amour, de respect et du désir de contribuer à faire progresser les gens. Elle travaille beaucoup dans l'ombre, mais elle est très précieuse dans mon grand jeu de la vie.

À un moment donné, durant une canalisation, elle se met à péter sa coche. Elle est en colère. Elle me dit : « quand vas-tu comprendre ? Quand est-ce que tu vas nous demander de l'aide ? On est là avec toi ! Les gens ne demandent qu'à t'entendre et toi tu te limites toujours encore et encore. Vas-tu reconnaître ce que tu portes une fois pour toute et prendre ta place ? »

J'étais tellement sous le choc de la voir ainsi, et en même temps je sentais partout dans mon corps cette vérité. C'est comme si à quelque part en moi, je savais déjà ce qu'elle me disait mais que j'avais besoin de l'entendre pour me libérer.

Elle m'expliquait ensuite que nos guides et nous, c'est comme un C.A. Et nous, qui sommes ici sur Terre, c'est comme si nous étions les présidents du C.A. mais que pour se réaliser pleinement dans ce jeu, nous devons demander et consulter notre C.A. Et moi, à ce moment de ma vie, je ne demandais jamais. Du moins pas de cette manière. Ses paroles, je dirais même ses cris, étaient du genre :

« Tu fonctionnes toujours seul. Tu ne nous consultes jamais. Nous sommes là pour t'aider. Tu dois absolument te servir de nous. C'était ça le plan. Arrête de fonctionner tout seul. Il y a beaucoup de subtilités qui sont là. Demande de l'aide et tu vas recevoir, tu vas voir. Mais à partir de maintenant, tu dois recommencer à nous demander, à travailler en équipe, à co-créer. Parce que sinon, les résistances vont toujours se présenter, les grosses contractions vont toujours venir te chercher pour te ramener à la base. Souviens-toi de chacune des énormes contractions que tu as vécues : tes accidents, tes difficultés, tout ce qui s'est passé, toutes les grosses contractions de ta vie se sont présentées pour te ramener à la reconnexion de qui tu es vraiment. Qu'attends-tu pour comprendre autrement ? Il y a une urgence d'agir ! »

(P.S: Je ne peux pas croire que j'ose vous partager tout ça dans ce livre. C'est cela que l'on appelle un livre ouvert ! Mais c'est

là dans ce que je reçois, alors go. Je l'ai vécu solidement et en bout de ligne, cela a transformé ma vie. Qui sait si ça peut aider une seule personne à mieux se comprendre, ça aura été parfait !)

Suite à ces paroles, j'ai ressenti de la tristesse et bien sûr, un peu de culpabilité. C'est comme si cette vérité était enfouie au fond de moi et faisait surface.

Le fait que je sois capable de très bien lire les signaux de ma machine m'aide énormément dans ce genre d'expérience. Je sais que Nathalie ne me contait pas de fausses histoires. J'ai une confiance absolue en cette femme. C'est un canal tout simplement. Un ange sur ma route pour m'aider à faire arriver ma mission tout en continuant de me libérer.

Osez prendre des risques

Jamais je n'aurais pensé vous partager tout cela dans ce livre. J'ai transformé depuis cette rencontre particulièrement, ma façon de faire mes coachings, mes formations et mes conférences, mais surtout ma façon de vivre ma vie. Aujourd'hui, je me connecte à cette vérité, dans l'instant présent et je demande à mes guides de m'accompagner et me souffler ce que je dois dire.

C'est véritablement un art de vivre comme ça et d'enseigner de cette façon. C'est aujourd'hui ce qui me passionne le plus. Depuis, je me libère à vitesse grand V.

Mais pour être et agir de la sorte, ça demande une grande maîtrise de soi, une bonne présence d'esprit et surtout une grande foi en la vie.

Je me rappelle la première fois en conférence où j'ai décidé de suivre mes guidances et laisser de côté ma préparation. J'avais tellement peur ! J'étais un conférencier invité à une soirée bénéfice pour amasser des fonds pour aider les itinérants. Il y avait une belle brochette d'invités sur scène et j'étais le seul « inconnu » au programme.

Quelques minutes avant de prendre la scène, je me suis levé, je suis allé m'isoler dans un coin et j'ai parlé silencieusement à mes guides. À ce moment, je ne les avais jamais aperçus, mais je voulais jouer le jeu de la vie. Encore une fois, un mélange d'audace et de folie.

Je leur ai dit :

« Ok. Je ne vous ai pas souvent parlé, je ne vous ai pas souvent demandé. J'ai fonctionné tout seul depuis bien longtemps. Je suis prêt à me prêter au jeu. Je vais le jouer le jeu de la vie. Je vais vous demander. Mais vous avez besoin d'être là pour m'aider. Vous avez besoin d'être là pour me supporter. »

J'ai décidé d'embarquer sur la scène avec tout mon cœur, avec toute ma présence et de demander. L'inspiration était au rendez-vous et j'étais littéralement dans le flot. Ce fut à ce moment de ma carrière, le sentiment où j'ai offert la prestation de ma meilleure conférence à vie.

Il y avait de la magie dans l'air. Les gens étaient présents, émotifs et connectés. Une idée folle m'a traversée l'esprit durant la conférence et j'ai demandé aux gens de me donner leurs bas. Mon auditoire a accepté, les gens m'ont tous lancé leurs bas sur scène afin qu'on puisse les remettre aux itinérants. Je voulais qu'ils se rappellent de cet événement et des itinérants à leur retour à la maison.

Ce fut le début d'une nouvelle façon d'être en pleine conscience. Ces expériences se sont multipliées et aujourd'hui, ça fait partie de mon style de conférencier. Intuitif, connecté et guidé.

En ce moment de ma vie, c'est tout ce qui m'intéresse. Devenir un être humain de plus en plus libéré, de plus en plus connecté, de plus en plus dans le flot de la vie. Être tout simplement un guide, un messager, qui va laisser couler l'information à travers lui et qui ne se prendra pas trop au sérieux dans ce grand jeu de la vie.

Mais pour arriver à bien maîtriser cette grande force subtile qu'est l'intuition et activer ce pouvoir exceptionnel de co-création que nous portons tous en soi, il y a de grandes règles à respecter.

Et la première est...

Demandez et vous recevrez

CHAPITRE 3

Demandez et vous recevrez

« Demandez et vous recevrez. » - Jésus

Pas de cause, pas d'effet !

Pour recevoir notre repas au restaurant, il faut le demander au serveur. Pour trouver un site Internet, il faut demander à Google. Pour retrouver notre route en voiture, il faut demander à un passant ou lancer la demande à notre téléphone intelligent. Pour recevoir un café à la commande à l'auto, il faut aussi le demander. C'est simple, pour recevoir dans la vie, c'est exactement le même principe, il faut le demander.

C'est la cause à effet; pas de cause, pas d'effet.

Quand ma petite fille de cinq ans, Éléa, veut du jus, elle vient me voir et me dit : papa j'aimerais avoir du jus s.v.p., je réponds à sa demande en lui donnant du jus. Mais si elle ne me le demande pas, je ne lui en donnerai pas. Je ne devinerai pas. C'est la même chose pour vous avec l'univers. Vous devez demander pour recevoir. C'est la loi de la cause à effet en pleine action.

Telle cause, tel effet, je n'invente rien.

Si je veux que l'eau coule dans le tuyau de mon arrosoir, je dois ouvrir le robinet, donc demander que l'eau coule. Si je veux que l'eau arrête de couler, je dois fermer le robinet et donc demander que le débit d'eau soit interrompu.

Même si je fais brûler de l'encens et que j'implore les dieux et déesses pour ensuite m'en aller vers mon arrosoir et attendre que l'eau arrive dans mon tuyau, ça ne fonctionnera pas. Il faut induire une action. Pour induire l'action, il faut demander.

Un grand sage a dit un jour :

« Demandez et vous recevrez ».

Ce grand sage-là, c'était le Christ Jésus. Je me plais à dire que ce gars-là avait bien du sens dans ce qu'il partageait. S'il avait un compte Facebook comme tout le monde de nos jours, je crois qu'il aurait beaucoup d'amis et de « j'aime » sous ses partages.

Mais comprenons-nous vraiment le sens de cette citation de quatre mots ?

Est-ce que vous demandez assez dans la vie ?

Cherchez-vous à fonctionner plutôt seul de votre côté, sans ne jamais rien demander à personne, en vous autosuffisant ? À quand remonte la dernière fois où vous avez demandé de l'aide à quelqu'un ou à plus grand que vous ? Vous souvenez-vous de la dernière fois où vous avez demandé d'être guidé, inspiré et soutenu ?

Vous rappelez-vous de la dernière fois où vous avez demandé de la force et/ou du courage pour continuer d'avancer ?

Vous recevrez l'équivalent de vos demandes que vous émettez, portez et vibrez. Mais si vous ne demandez pas, vous fonctionnez par défaut et vous n'activez pas la magie de la vie. Je suis sérieux ici en parlant de magie. Je ne comprends pas comment ça se manifeste et je ne cherche plus à le savoir. Tout ce que je sais est que nous avons tous ce grand pouvoir, alors je l'utilise.

La peur de demander

De mon côté, c'était un de mes plus gros défis que celui de demander. Je voulais m'en sortir seul afin de me prouver que j'étais bien capable et ne pas démontrer à quiconque que j'avais besoin d'aide. Montrer ma vulnérabilité était difficile, comme si être vulnérable était un signe de faiblesse. J'avais de très grandes résistances à demander.

Et même lorsqu'il fallait vraiment que je demande de l'aide, que ce soit financièrement, pour un déménagement, pour un travail à accomplir ou pour mieux regarder les aspects d'une situation, j'en étais incapable. J'avais un orgueil mal placé et mon ego devait prendre des stéroïdes à mon insu ! C'est qu'il était très musclé cet ego !

Pire encore, lorsqu'on avait la gentillesse de m'offrir de l'aide, et que j'en avais réellement besoin, je répondais rapidement : Non merci ! C'était automatique. J'ignorais ce que je faisais et j'agissais à partir d'une conscience endormie.

Mais *it's ok*, tout est toujours parfait.

Aujourd'hui, je comprends très bien que lorsque que j'ai besoin d'aide et que l'on m'en propose, je dois l'accepter. Nous sommes des êtres en constante communication avec l'Univers et chaque réponse est en soi une demande. Comme si je créais avec cet automatisme, cette fausse réponse : « Oui, c'est ce que je veux » ou « Non, je n'en veux pas. »

Si je repousse et refuse ce qui m'est présenté, j'interromps ainsi le flot d'énergie, je me coupe de la vie et donc de l'abondance. Encore pire, je reste coincé dans mes difficultés, dans mes souffrances, dans mes vieux « patterns ». Nous sommes conçus pour co-créer ensemble, et nous libérer collectivement. Ne l'oubliez jamais, c'est tellement important à saisir.

Conçus pour co-créer !

Nous ne sommes pas conçus pour fonctionner seuls dans ce monde. Nous sommes tous interconnectés les uns aux autres dans un seul et unique grand système. Lorsqu'on se retire et qu'on s'isole, les résistances commencent à se développer et surtout, on se coupe du flot de l'abondance.

L'abondance se tient là où l'énergie circule, dans le mouvement.

Souvent, les gens vont s'isoler sous prétexte que par le passé, lorsqu'ils étaient avec d'autres personnes fut source de souffrances. Nous avons tellement peur de nous faire avoir, tellement peur d'être trahis, tellement peur de nous faire voler nos idées ! Mais également, nous endossons cette peur de ne pas être à la hauteur en nous comparant souvent aux autres.

Alors, par réflexe et automatisme, certains croient en la solution d'isolement pour ne pas avoir à composer avec d'éventuelles souffrances. En réalité, cette manière de penser équivaut à déplacer la source de souffrances. C'est malheureux mais en s'isolant, on perd petit à petit les étoiles dans nos yeux et on perd surtout les merveilleux sentiments que sont l'appartenance et l'accomplissement au sein de ce beau et majestueux système.

Ces sentiments d'appartenance et d'accomplissement sont capitaux pour la pleine réalisation de notre être.

Je ne dis pas ici que nous devons constamment être avec des gens. J'ai personnellement un grand besoin de moments de solitude dans ma vie. Mais je sais, pour l'avoir expérimenté, que l'abondance coule à flot lorsque je suis en mode d'interconnexion et de co-création avec les autres. C'est alors que la magie de la vie se manifeste.

Ce livre que vous tenez entre vos mains en est un bon exemple. C'est une œuvre de co-création entre moi et mon équipe de révision qui y ajoute beaucoup d'amour et d'attention, afin que ce projet voie le jour dans les bons délais et soit un véritable succès.

Demander à plus grand que soi !

Demander, c'est demander de l'aide aux gens qui nous entourent. Mais demander, c'est aussi demander à l'invisible. Oui, oui, vous avez bien lu. Demander à plus grand, c'est demander à l'Univers, la nature, à votre Dieu ou à l'énergie de vous soutenir. La manière dont vous nommez cette partie-là n'est pas importante pour moi. Ce n'est que croyance et perception.

Que vous l'appeliez Jésus, Bouddha, Allah, Jéhova, Krishna, Tonka ou Toyota, ça m'est bien égal. Moi, de mon côté je demande à Dieu, qui est pour moi nature, univers et énergie.

Ce qui importe, c'est de demander !

Vous ne croyez pas aux mondes subtils ? Vous ne croyez pas en Dieu, en l'Univers ou en l'énergie ? It's ok ! Pouvez-vous au moins croire en vous-même, en votre potentiel illimité de création ?

Parfois les gens me disent :

« Je vais le croire quand je vais le voir. »

Je leur réponds alors que ce qu'il y a de magnifique avec la vie, c'est que vous pouvez faire des tests.

Donnez-vous disons 14 jours d'essai. Durant ces 14 jours, jouez le jeu à fond et demandez.

- Demandez que la vie place les bonnes personnes sur votre chemin ;
- Demandez d'être inspiré afin de bien relever un défi qui vous tient à cœur et auquel vous participez en ce moment ;

- Demandez qu'on vous inonde d'idées de génie pour vos projets ;

- Demandez d'être plus calme, plus patient ;

- Demandez que de nouveaux contrats arrivent dans votre vie ;

- Demandez du courage pour passer à l'action.

Bref, demandez tout ce qui vous vient à l'esprit, sous toutes les formes possibles, plusieurs fois par jour et observez ensuite ce qui va se passer. Parce que c'est vraiment magique et il se passera assurément quelque chose dans les minutes, les heures ou les jours suivants.

Demander est l'un des plus puissants potentiels de l'être humain. Mais ce concept semble trop simple pour être bien saisi. L'homme préfère participer à des formations compliquées, de nouvelles tendances et place malheureusement toute son attention sur le manque. De la pure folie, notre façon de vivre notre vie en 2016. Pourtant, tout est déjà là et il suffit simplement de réapprendre à vivre en cohérence et en pleine conscience.

« Soyez réalistes ; demandez l'impossible. » - *Che Guevara*

J'en conviens, je suis un grand rêveur. Je rêve du jour où je verrai des licornes et des éléphants roses voler dans le ciel. (Ça serait « cool », avouez-le !) Mais d'ici là, le grand rêveur que je suis utilise sa conscience et son intelligence pour activer son plein pouvoir de création. Je me concentre sur où je pourrais avoir un impact qui pourrait influencer la création de mon idéal de vie tout en savourant pleinement mon voyage dans ce grand jeu qu'est la vie.

Quand les gens me disent : Moi, François, je vais y croire à ta philosophie quand je vais pouvoir le voir de mes propres yeux, je leur réponds tout d'abord… *It's okkkkkkkk !*

Ensuite, je leur insuffle la possibilité d'entrevoir l'ouverture sur leur pouvoir de changer leur langage en leur répondant : Que croyez-vous qu'il adviendrait dans vos vies si vous remplaciez votre « je vais y croire quand je vais le voir » par « je vais le voir quand je vais y croire ? »

Pour activer ce processus de création plus rapidement, il faut une énergie concentrée. C'est-à-dire qu'il faut s'impliquer dans ce processus et non attendre qu'une autre personne vienne pour nous sauver.

Rappelez-vous : tout est cause à effet ! Le résultat est l'effet non seulement de mes actions, mais aussi de mes intentions, mes pensées et de mon discours intérieur qui eux causent vos émotions et votre signature énergétique. Avec cette signature énergétique, vous créez votre monde.

Peur de l'invisible !

Comment être certain que tout ça existe, François ? On ne voit pas Dieu, l'Univers ou l'énergie. Et si tout ça n'était que de la foutaise ?

Je comprends votre incertitude et vous avez raison. Cependant, quand je ferme les yeux et que je me calme, une petite voix à l'intérieur de moi me dit que nous sommes beaucoup plus grands et plus puissants que nous le croyons.

Et vous, avez-vous ce petit bout d'âme en vous qui ose croire que c'est possible de vivre ainsi ? Si oui, accrochez-vous à lui ! Car le lieu où je désire vous emmener avec ce livre pourrait littéralement transformer votre vie. Mais c'est vous le maître. Gardez l'esprit ouvert, soyez sceptique, c'est OK, mais restez connecté à l'intention que vous avez placée en début de lecture.

Au fait, vous rappelez-vous de votre intention ? Vous avez demandé, alors vous recevrez assurément !

Encore une fois, est-ce que je vais laisser mes peurs et mes insécurités contrôler ma vie ? Tout d'un coup que ça ne fonctionne pas tout ça ? Jouez le jeu et observez. Ensuite, vous en ferez votre vérité.

Et tout ça ne vous coûtera rien, simplement un essai de jouer au jeu de la vie et de tester votre potentiel. Arrêtons de faire l'autruche et reconnaissons le potentiel infini qui se trouve en chacun de nous. Nous sommes extrêmement puissants. Nous sommes la plus belle machine qui soit. Il y a tellement d'énergie en nous. Il importe de s'éveiller en conscience et de sortir de ces vieux schémas de pensées qui nous empoisonnent l'existence. Sinon, nous resterons limités pour le reste de notre vie, de même que nos créations.

Mais j'y pense, avez-vous déjà vu une émotion ? Avez-vous déjà vu une pensée ? Et pourtant, vous êtes certain qu'elles existent n'est-ce pas ? Vous les ressentez ! C'est la même chose avec l'attraction, l'énergie, l'Univers et ces grandes lois.

Ces grandes lois qui se retrouvent, elles aussi, dans la nature. Tout est cause à effet. On ne peut pas passer à côté.

« On ne voit bien qu'avec le cœur,
l'essentiel est invisible pour les yeux. »
- Antoine de Saint Exupéry.

Trop souvent dans la société d'aujourd'hui, on a arrêté de demander et nous fonctionnons de façon isolée. On ne croit plus en rien parce qu'on ne veut plus souffrir. On ne veut plus être déçu et pourtant, en agissant ainsi, on se coupe de notre véritable potentiel.

De mon côté quand je demande, je demande à un grand système. Je demande à la nature. Je demande à cette divinité-là que j'embrasse et que j'essaie d'incarner le plus possible à chaque instant.

Je demande guidance afin de reconnecter avec qui je suis et recevoir des messages, des inspirations, des idées qui sont là et disponibles à chaque instant pour nous.

Juste l'idée de penser que nous avons ce potentiel en nous m'émerveille.

Demander, c'est aussi demander des solutions ! Demander d'être inspiré d'idées de génie. À chaque fois que je prépare, par exemple, mes stratégies de marketing pour avoir le plus de gens possibles dans mes conférences ou encore pour vendre plus de livres ou encore percer tel marché, je m'assois devant le tableau blanc accroché au mur de mon bureau et je demande guidance. Je demande d'être induit et inspiré dans mes prochaines actions.

Je vous jure que ça fonctionne. Et chaque fois que j'ose mettre en application l'idée venue, les affaires explosent. Comme si tout ce que je touchais se transformait en or. Mais j'ose demander, j'écoute, je reçois et surtout j'agis, même s'il y a des peurs.

Demandez d'être un canal !

L'une de mes plus profondes intentions dans la vie est d'être et de servir de canal. D'être un véhicule, un messager afin de faire passer les connaissances et les informations dont nous avons besoin en ce moment.

Est-ce qu'être un canal est réservé à une élite particulière? Mais non, je ne suis pas un canal tel un voyant ou un médium. Je crois que tout le monde peut ouvrir et se servir de son canal afin de mieux percevoir sa guidance.

Il n'y a rien d'impressionnant dans ce phénomène. Laissez de côté ceux et celles qui vous en mettent plein la vue avec ces supposés dons uniques qui les séparent de vous. Ils sont humains, comme vous et moi, mais avec peut-être une intention d'ouverture à cette capacité. Au même titre que pour certains, ce sera la course, pour d'autres, ce sera le dessin ou la musique.

Alors si je veux activer ce potentiel exceptionnel qu'est l'intuition et recevoir guidance, idées de génie, inspirations, réponses à mes questions ou une aide quelconque, je me dois absolument de demander.

Rappelez-vous le principe de cause à effet. Si vous demandez, vous allez recevoir, si vous ne demandez pas alors…tant pis pour vous, que votre volonté soit faite.

Alors si vous souffrez d'une situation et que vous ne voulez pas demander l'aide de personne car vous spéculez sur leur capacité à vous aider réellement, ou encore vous vous maintenez dans la peur d'être jugé si vous demandez, comprenez bien que l'effet et votre situation ne changeront pas. Vous resterez coincés dans cette situation et elle se répétera « *ad vitam aeternam* ». Vous la vivrez car vous porterez cette énergie en vous.

Osez demander de l'aide et changez vos habitudes. Permettez aux autres de se réaliser en vous aidant. Ils ont leur rôle dans votre grand jeu de la vie, croyez-moi. Ne tuez pas la magie de la vie en cherchant à contrôler ou en essayant de deviner le grand plan. Demandez et laissez la nature faire son œuvre, elle est parfaite.

Demandez et soyez prêts à recevoir !

Quand on refuse l'aide que les autres nous offrent, on les empêche à leur tour de se réaliser.

En exemple, j'avais de la difficulté à recevoir l'aide de bénévoles lors de mes événements conférences. Des dizaines de personnes m'approchaient régulièrement pour pouvoir contribuer et au tout début je leur disais : non merci. Je ne voulais pas qu'ils pensent que je voulais abuser d'eux. Certains font même des centaines de kilomètres aujourd'hui pour venir nous offrir de l'aide lors de mes événements Inspire-toi.

Avec le temps, j'ai compris que lorsque j'avais besoin d'aide et que l'univers s'orchestrait dans le but de m'envoyer des gens qui ne demandaient qu'à m'aider et contribuer à cette mission, je coupais le flot de la vie. Moi et mon ego, on remerciait gentiment ces gens par crainte qu'ils ne pensent que je voulais abuser d'eux. En agissant ainsi, j'empêchais également les bénévoles de se réaliser en venant manifester qui ils sont, partager leurs couleurs et faire vibrer leurs valeurs.

Aujourd'hui, nous avons près de 100 bénévoles qui nous aident et s'impliquent dans tous nos projets. Je suis heureux de pouvoir les aider à se réaliser. Nous sommes interconnectés vers un but plus grand.

Quand on demande, il est nécessaire par la suite d'ouvrir tout grands les bras. Certains auront des apprentissages à faire pour apprendre à recevoir.

Mais *it's ok ! It's a process*. Tout est toujours parfait !

Le concept de « demandez et vous recevrez » doit être un tout petit peu ajusté au monde moderne. Il est très important que vous reteniez ce prochain principe. Allez chercher un papier et un crayon afin de pouvoir bien le noter pour ainsi le retenir par la suite.

Demandez et fermez-la !

Ce principe est essentiel. Quand vous demandez guidance, vous devez faire par la suite le silence complet dans votre tête. Malheureusement aujourd'hui, une grande majorité d'entre nous avons tendance à nous étourdir et devenons ainsi rapidement saturés et agités.

Nous nous mettons à voir ce qui ne fonctionne pas dans notre vie et à maudire contre l'Univers pour tout ce qui nous arrive.

En fonctionnant de cette manière, impossible d'écouter ce qui rentre comme signal.

Que faire ?

Si vous avez des demandes à faire, vous avez besoin d'inspiration, d'idées pour un projet et surtout si vous avez l'intention d'utiliser cette capacité exceptionnelle de faire, suivez bien les informations qui suivent.

Demandez clairement en terrain fertile, c'est-à-dire quand vous êtes déposé. Vous pouvez le faire les yeux ouverts ou fermés, à votre réveil ou encore au coucher, en conduisant ou en cuisinant. Bref, l'important est de demander consciemment. Ensuite, très important, ***fermez-la !***

Je sais, c'est cru, mais je tiens absolument à ce que vous le reteniez.

Fermez-la ! Soyez réceptif à ce que la vie mettra ensuite dans votre assiette. Elle vous emmènera assurément les réponses.

Fermez-la, dans le sens où vous devez être à l'écoute. Vous devez absolument taire l'agitation de votre mental qui essaiera de vous convaincre : « ça ne vient pas ! Ça ne se passe pas ! Ça ne se présente pas ! Ça ne fonctionne pas ces affaires-là ! »

Demandez, ***fermez-la*** et laissez la nature faire son œuvre.

Ça va venir, c'est certain, c'est une question de cause à effet.

« François, de quelle façon les réponses à mes demandes vont-elles se manifester ? »

Ne vous attendez pas à voir apparaître un ange avec des ailes qui vous pointera la bonne route avec son arc ou encore Jésus avec sa toge au-dessus de vous pour vous dire :

« Mon enfant, tu m'as appelé, me voilà et voici ta commande ! » Non, ce sera évidemment beaucoup plus subtil que ça.

L'idée apparaîtra dans votre esprit. Vous verrez peut-être une publicité à la télévision qui vous inspirera. Des paroles de chansons jouant à la radio contiendront votre réponse. Un livre que vous lirez vous fera réfléchir pour vous diriger vers la bonne direction. Bref, les réponses à vos demandes se concrétiseront dans la matière.

Nous ne sommes pas assez intelligents pour comprendre comment ce principe se manifestera. Arrêtez de chercher le comment du pourquoi ! Choisissez dès maintenant d'activer votre plein potentiel de co-création et commencez à demander et n'oubliez surtout pas d'écouter attentivement et fermez-la !

Ce que vous cherchez vous cherche aussi !

J'aimerais vous partager une petite histoire que j'ai vécue pour vous illustrer exactement comment la magie de la vie peut se manifester dans notre réalité et surtout comprendre qu'il faut absolument lâcher prise sur le comment. Nous ne serons jamais assez intelligents pour comprendre les stratégies du grand plan universel.

« Le hasard est le chemin qu'emprunte Dieu pour passer incognito. »

En juin 2015, alors que j'étais au couvent de Val-Morin où j'enseigne les retraites Kaizen, je me disais qu'il serait bon de me procurer un Gong afin de pouvoir rappeler les participants qui sont à l'extérieur pendant les pauses. Les retraites se font en silence et je trouvais qu'une sonnerie n'était pas appropriée. C'était un peu agressif comme approche et irritant en temps d'introspection.

À mon retour à la maison, Nathalie ma conjointe, fit des recherches sur le Web pour trouver le bon gong ou un bol tibétain qui nous permettrait de mettre une belle énergie dans nos retraites et laisser de côté notre cadran habituel.

Mais je ne voulais pas commander ce type d'objet par Internet. Je ne sais pas pourquoi, je voulais le sentir et l'entendre avant de l'acheter. Je lui ai dit : abandonne tes recherches, on va trouver éventuellement la bonne boutique et exactement ce qu'on cherche. Il va se présenter à nous et on va le savoir.

Synchronicités

Dans cette même semaine, j'étais aussi à l'écriture de mon livre. Ce que vous devez savoir est que ce bébé que vous tenez entre vos mains, ce livre, a changé de titre à quelques reprises avant sa publication.

Au départ, le titre projeté était : « *Vivre en cohérence, un pas à la fois* ».

Mais durant le processus d'écriture, j'ai vécu une belle résistance. Je me voyais vous dire comment vivre en cohérence et je ne me sentais moi-même pas du tout en cohérence dans ma vie. J'étais dans une période où je travaillais beaucoup, je ne m'amusais plus et je n'avais plus de liberté à cause de toute la croissance qu'avait prise mon entreprise. J'avais un surplus de poids de 20 livres et je ne m'en portais que très mal. Tout ceci me tiraillait, ainsi que le titre de mon livre que je remettais en question constamment, « *Vivre en cohérence, un pas à la fois* ».

J'ai donc pris un recul de l'écriture car j'étais en résistance. J'étais en doute par rapport à ce que je vous partagerais et je sentais que je manquais d'intégrité si je vous partageais ça à ce moment de ma vie. Il y avait pour moi une grande incohérence et cette façon de faire n'était pas alignée avec mes principes de vie. Mes bottines doivent suivre mes babines !

Un mois plus tard, j'ai repris l'écriture avec une nouvelle inspiration : *Tout est toujours parfait !* Cette intuition m'avait fait vibrer et je sentais que c'était totalement aligné avec qui je suis, c'est-à-dire parfaitement parfait dans mes imperfections et totalement parfait avec ce principe.

Quelques jours seulement après ce changement de cap, j'organise une soirée conférence dans une salle bondée de 1 500 personnes, à Laval au Québec. Fait à noter: lorsque je fais de semblables événements, les gens font la file pour prendre des photos avec moi ainsi qu'avec les autres conférenciers.

Et voilà que la magie opéra.

Un couple dans la cinquantaine vient me voir pour me remercier du travail que je fais pour l'humanité. Sans que je comprenne pourquoi, ils me remettent un cadeau emballé dans deux sacs d'épicerie. Ils me demandent de me fermer les yeux et de me connecter à ce qu'il y a à l'intérieur.

Honnêtement je me dis à ce moment :

« Quel genre de personnes sont-elles ? »

Il y a en plus une file de plusieurs personnes qui attendent pour me voir et faire une photographie avec moi. Je prends quand même le temps avec ces deux personnes et j'offre ma présence comme je me fais un honneur d'offrir à chaque personne que je rencontre. D'autant plus qu'ils incarnaient tellement la bonté même.

Ils me disent alors :

« Ne l'ouvre pas tout de suite, il y a trop de monde et tu n'as pas le temps. Va le porter en sécurité à l'arrière auprès de ton équipe et tu l'ouvriras rendu chez toi. »

Super ! Je leur fais un gros câlin et je les remercie d'être venus.

La personne suivante qui attendait pour me voir, c'était Mireille, une abonnée de ma page Facebook qui me suit et commente régulièrement mes vidéos. Elle est toute rayonnante et veut se faire prendre en photo avec moi. Elle aussi a un cadeau à m'offrir.

Elle me glisse alors à l'oreille qu'elle a vu une de mes vidéos où je parle de mon livre qui sortira bientôt sous le nom de « *Vivre en cohérence, un pas à la fois* ». Elle me raconte alors que je l'ai inspiré à créer sa propre entreprise. Elle s'est lancée dans la fabrication de chandails imprimés. Elle veut me remettre son cadeau qu'elle tient fièrement serré sur elle. Il y est imprimé en grosses lettres : Un pas à la fois.

À l'intérieur de moi, j'étais heureux car le chandail était très beau, mais j'étais également mal à l'aise car elle ne savait pas que le titre de mon livre avait changé au cours des derniers jours. Ce n'était plus : Vivre en cohérence un pas à la fois.

Elle me donne donc le chandail et nous nous installons pour la photo. C'est à ce moment que la vie me fait à nouveau un clin d'œil. Elle était vêtue d'un chandail où il était inscrit en grosses lettres : Tout est parfait !

Je suis convaincu qu'en regardant cette photo de Mireille et moi, on arrive à voir clairement la grosse chair de poule qui m'envahit à ce moment précis. Voir, en lettres écrites sur un chandail, les synchronicités de la vie venues me parler directement de l'Univers m'a profondément ému. L'Univers est venu me faire un signe en passant par cette abonnée au nom de Mireille qui portait un chandail imprimé sur lequel était indiqué l'orientation du titre de mon livre. Personne n'en savait rien sauf moi. C'était tellement magique, ce clin d'œil de la vie.

Arrivé à la maison, fatigué mais comblé par la magie de cette soirée, j'échange avec Nathalie à propos de la soirée. Curieuse, elle me demande ce qui se trouve dans les sacs d'épicerie. Vous vous souvenez, le cadeau du gentil couple !

Curieux à mon tour, je déballe le cadeau. J'y découvre un gros étui mauve, avec une fermeture éclair dans le haut. J'ignore totalement ce que ce couple était venu m'offrir.

J'ouvre avec attention l'étui et j'y vois un énorme bol de cristal avec un bâton. Je n'avais jamais vu ça de ma vie. Il y avait en plus, une poignée en dessous. Dès que je l'ai fait chanter, je fus à nouveau envahi d'une grosse chair de poule à cause du son totalement magique. J'y ai vu un second clin d'œil de la vie dans la même journée.

J'étais totalement émerveillé par les synchronicités que la vie me présentait. Je n'avais même pas de carte pour savoir de qui ça provenait pour pouvoir les remercier du beau cadeau d'une valeur de 500 $. C'était un don, fait avec le cœur. C'était des anges venus croiser ma route pour me dire : « Tu es à la bonne place mon grand, continue ton beau travail ! »

Comment peut-on deviner le déroulement et l'incroyable dénouement de toute cette histoire ? Impossible ! Même avec l'imagination la plus fertile. Il faut retenir d'apprendre à laisser la nature nous impressionner en faisant son œuvre et porter en son cœur une foi inébranlable envers l'Univers.

L'Univers est constamment en action et en mouvement pour nous impressionner en déroulant son tapis rouge pour nous porter.

Des histoires comme celles-ci, j'en ai des centaines. Je suis convaincu que vous aussi. Et pourtant, trop souvent on empêche la vie de faire son œuvre et de nous impressionner.

Oui, il y a parfois des moments plus difficiles à traverser. On appelle ça les cycles de la vie. On ne peut y échapper. La vie n'est pas un combat mais plutôt un beau grand jeu où nous devons apprendre à danser parfois sous le soleil, parfois sous la pluie. À chaque instant, on peut réapprendre à vivre d'une façon différente, plus cohérente avec notre vérité intérieure pour obtenir des résultats remplis de sens.

Moi, j'ai choisi d'honorer ma divinité en venant jouer dans ce grand jeu. Je ne sais pas combien de temps il me reste exactement. Mais une chose est certaine. Le temps que j'ai à ma disposition, je veux le passer en pensant, en parlant et en agissant comme si tout était toujours possible !

D'où je me positionne aujourd'hui, c'est plus que limpide et très clair pour moi. Tout est toujours parfait.

Alors osez demander, osez écouter et vous recevrez toute l'abondance que la vie a à vous offrir.

Êtes-vous prêt à vivre pleinement ? Demandez-le et vous le recevrez !

Le piège de la connaissance

Chapitre 4

Le piège de la connaissance

« Le plus grand ennemi de la connaissance n'est pas l'ignorance, c'est l'illusion de la connaissance. »
- Stephen Hawking

Il y a plusieurs années, lorsque j'ai fait mon éveil, je me suis dit à ce moment-là : je dois absolument tout comprendre sur le fonctionnement de l'esprit humain ainsi que son potentiel. Je modélisais de grandes personnes que je voulais suivre, des gens qui avaient réussi. En toute honnêteté, ce que je cherchais aussi, c'était à faire beaucoup d'argent.

Mais c'était ok !! Tout était parfait.

Je ne cherchais pas à me libérer ni à me transformer. Je cherchais d'abord et avant tout à faire de l'argent. Parce que pour moi, le succès, c'était cela.

À l'âge de 31 ans, suite aux lectures des livres d'Anthony Robbins qui m'inspirait à devenir la meilleure version de moi-même, plus performant, plus puissant, plus confiant, j'ai décidé de retourner sur les bancs de l'école et de m'inscrire à une formation afin de devenir coach en PNL, Programmation neuro linguistique. La PNL représente l'étude du fonctionnement du cerveau et des comportements humains.

Jamais je n'aurais cru que je retournerais aux études, moi qui n'aimait pas l'école et qui avais obtenu de justesse mon diplôme d'études secondaires ! Dès mes 12 ans, j'avais commencé à travailler. Mon premier emploi consistait à passer les journaux. Ensuite, vers l'âge de 13 ans, alors que mon père avait une station-service Ultramar, j'y ai travaillé comme pompiste. J'y ai passé toutes mes fins de semaine de 12 ans à 20 ans. Aussi, je combinais à travers tout ça, d'autres emplois. J'étais un manuel comme le sont les membres de ma famille et jamais je n'aurais cru un jour étudier sur l'homme et sa machine.

Les années qui ont suivi mon *burn-out*, je me suis mis à participer à toutes sortes de formations en plus de continuer mon parcours de coach. J'ai lu beaucoup de livres de croissance personnelle. J'achetais tout ce qui était possible d'acheter et lorsqu'il le fallait, je n'hésitais pas à parcourir le monde pour participer à tel ou tel type de formation. J'ai investi près de 100 000 $ en développement personnel dans un court laps de temps, soit en 7 ans. C'était beaucoup d'argent !

À ce stade-là de ma vie, je croyais que mes titres de Maître coach en PNL, en hypnose et tout autre titre que j'étais en voie de posséder me seraient indispensables à la réussite de ma vie. Aujourd'hui, si vous surfez sur mon site Internet, ou si vous consultez ma biographie, je ne parle de rien de tout ça.

Ça prend d'abord et avant tout une bonne intention, un cœur et une réelle présence pour aider les gens. Même avec les plus grands titres du monde, sans ces qualités du cœur qui selon moi sont indispensables, cela ne fonctionnera jamais. J'ai par contre pris plusieurs années pour saisir tout ça. Je me perdais dans ma soif de connaissances.

Ma conscience était à ce moment, un peu plus endormie qu'aujourd'hui. Mais ça ne m'empêchait pas d'avoir l'air d'un illuminé. Je pouvais même faire peur à plusieurs personnes autour de moi !

Je me souviens, je disais à tout le monde que c'était possible de transformer leur vie. Que tout était une question de croyances et d'attraction et j'analysais tout le temps, tout le monde.

Je comprends aujourd'hui avec du recul, pourquoi ma famille et mes amis ont porté des jugements sur mes décisions et mes actions. Il n'y avait aucun ancrage en moi et il ne faut pas oublier que je réagissais comme ça après mon *burn-out*.

Tout devait cependant se passer exactement comme ça. J'avais besoin de me sentir jugé par mes proches pour faire émerger des souffrances. Et je vous jure, j'ai souffert. Mais en réalité, tout était parfait dans ce grand plan.

Donald Trump comme modèle !

Je me rappelle comme si c'était hier. Durant mon parcours de formation de coaching en PNL, mon enseignant demandait au groupe :

« Qui ici dans la classe veut être coach de vie ? »

J'étais le seul de mon cours qui ne voulait pas être coach de vie. Moi, à ce moment, je savais que j'étais un entrepreneur, je savais que je venais chercher des connaissances pour moi, d'abord et avant tout. J'étais en mission : me programmer comme un leader à succès et faire beaucoup d'argent. Suite à ça, la vie serait facile si je faisais de l'argent !

En toute humilité et en toute vulnérabilité, je dois vous avouer quelque chose. Mais défense de rire d'accord ? À ce moment-là de ma vie, mon modèle était nul autre que Donald Trump.

Oui, oui vous avez bien lu : Donald Trump. J'étudiais chacune de ses actions, sa façon d'être et d'agir ainsi que sa façon de parler et de se tenir. Je voulais être un futur Donald Trump.

Je constatais que ce gars-là avait fait plusieurs faillites. Il avait réussi à se relever à chaque fois et devenir à nouveau milliardaire. Il avait une attitude de gagnant et vivait le rêve américain comme aucun autre homme ne le vivait. Ce fut l'un de mes premiers modèles. Mais je vous rassure tout de suite ;

aujourd'hui je préfère de beaucoup modéliser la nature. Je suis plus en alignement avec ma vérité profonde. Ceci étant dit en tout respect pour ce que monsieur Trump est, je crois qu'il joue un grand rôle au sein de notre humanité. Par contre, je préfère de loin assumer mon propre rôle.

Vous savez comment on appelle les gens qui se présentent dans notre vie pour nous faire réagir et nous mettre face à nos souffrances ?

Des anges déguisés en trou de cul !

Tous autant que nous sommes, nous sommes tous, pour quelqu'un, un ange déguisé en trou de cul. Nous sommes ici pour se faire grandir mutuellement, les uns et les autres. Certains progressent et s'en rendent compte, tandis que d'autres ne font que réagir impulsivement et répéter leurs conditionnements. Ils attirent alors à nouveau ce type d'ange et ce, tant et aussi longtemps que l'enseignement n'aura pas été saisi.

Mais *it's ok !!* Tout a sa raison d'être dans ce grand plan. Tout est toujours parfait, oui oui, même Donald Trump !

Perdu, perdu, de plus en plus perdu !

Au cours de ces années des grandes transformations, je me suis perdu plus souvent qu'à mon tour.

Heureusement un jour, j'ai eu la chance d'assister à une formation où un homme duquel émanait un grand calme intérieur était assis à mes côtés. J'étais à ce moment de ma vie pas mal excité, agité, impatient et impulsif.

C'était une formation qui portait sur l'ego et l'éveil de la conscience avec Annie Marquier à l'Institut du développement de la personne. Bien sûr, j'ai lu tous les livres d'Annie et fait tout ce qui était proposé à l'époque comme formation de croissance personnelle. Rappelez-vous, je faisais tout ce qui existait, j'étais

« addict » de connaissances.

Ceci étant dit, je vous recommande chaudement tous les enseignements d'Annie Marquier.

Durant le discours de l'enseignante, je n'arrêtais pas de bouger sur ma chaise, de me gratter ici et là. J'étais impatient car je voulais que l'enseignement aille plus vite. J'étais du type :

« Allez, go, accouche, c'est long, c'est long, je sais déjà tout ça ! »

Je trouvais ça long ; surtout que c'était la deuxième ou troisième fois que je faisais cette même formation.

L'homme assis près de moi, un genre d'Indien au teint basané mais sans plumes, était d'un calme qui me semblait anormal. Il donnait l'impression de dormir, mais ce n'était pas le cas. Il était pleinement attentif et stable comme une statue de Bouddha, mais avec les yeux fermés.

Il me dérangeait tellement d'être comme ça !

Moi je n'arrêtais pas de gigoter sur ma chaise. Vous savez, quand nous sommes assis avec un maillot de bain trempé qui nous incommode ? Voyez-vous ce que je veux dire ? Sinon laissez tomber cet exemple de maillot de bain mouillé. J'étais très agité.

Alors que je pensais qu'il n'ouvrirait jamais les yeux, croyez-le ou non, il l'a fait !

Pareil au chat qui veut attraper sa proie, avant même que ses pupilles n'aient eu le temps de s'adapter à la lumière du jour, je lui demandai :

« Mais qu'est-ce que tu faisais ? »

Il me répondit :

« J'étais en train de méditer »

Et je réplique avec grande fierté, en tant que grand connaisseur qui ne connaissait rien du tout :

« Ha oui, j'ai lu ça la méditation dans les livres d'Anthony Robbins et Jack Canfield. Ils font ça eux aussi de la méditation. Assis par terre en plus ! Ils font même de la PNL. Ça a l'air vraiment *hot* tout ça ! »

Il me dit :

« Je reviens de Vipassana, une retraite de méditation en silence. »

« Ha oui *cool*, c'est quoi ça, Vipassana ? »

Il me répond :

« C'est une retraite où pendant une période de 10 jours, tu ne parles pas à personne, tu n'as pas le droit d'écrire, pas le droit de lire, ni d'avoir de communications non verbales. »

J'avale en essayant de contrôler mes angoisses et mon étonnement en disant :

« Ha ouais ? »

Et il rajoute :

« Pendant une période de 10 jours, tu médites en position assise, par terre, 10 heures par jour à observer ton esprit. »

Ça y est, j'ai chaud, j'en tremble presque. Il est complètement fou ce mec ! Je ne pense pas qu'Anthony Robbins fait ça comme lui. Mais c'est un malade. Je me disais à l'intérieur de moi : « Ça doit être une secte cette affaire-là. Il a l'air bizarre ce gars. »

Alors le gars me regarde comme s'il captait l'immaturité en moi, avec un petit sourire en coin rempli de bienveillance. Il se referme les yeux pour repartir je ne savais trop où, pour un autre voyage là où je n'étais encore jamais allé.

Son état de calme me faisait réagir. Je n'avais jamais vu ça auparavant. J'aurais aimé être un petit oiseau et filmer ce moment de ma vie. J'étais tellement agité dans ma tête. Par contre, je voulais moi aussi aller en voyage à l'endroit où ce gars allait quand il fermait les yeux. Et ce, sans oublier que mes mentors de l'époque : Anthony Robbins et Jack Canfield semblaient eux aussi aller là !!!

Mais qu'est-ce qui se passe là ?

L'addiction en action !

Comme je vous ai expliqué dans le précédent chapitre, à cette époque j'étais un « addict » de connaissance et de développement personnel. Je ne le savais pas encore. Je me disais passionné !

Cela m'a pris un gros huit ans avant de me rendre compte que c'était devenu une addiction, comme on peut l'être en regard d'une drogue ou de l'alcool pour d'autres.

Vous verrez où je vous emmène avec tout ça. Une forte majorité de gens qui lisent ce livre le sont, « addict » de connaissances, vous comprendrez plus loin.

Calmez-vous, calmez-vous...un pas à la fois, je ne vous dirai pas tout, tout de suite. Je veux vous raconter mon histoire, bon !!

Si c'est trop difficile de résister et que vous êtes de ceux et celles qui veulent aller plus vite en sautant les étapes pour comprendre pourquoi je dis que la plupart des gens sont « addict » de connaissances, *it's ok !* Je respecte ça vous savez ! Même si je sais d'avance que vous allez vouloir revenir pour connaître le reste de mon histoire. Dans ce cas, allez directement voir à la page 157.

Faites l'équation... insérez-vous dans la peau d'un « addict » de connaissances qui sait qu'Anthony Robbins et Jack Canfield méditent, et qu'il existe un endroit dans ce monde appelé étrangement Vipassana et que c'est également possible d'y aller en retraite de 10 jours afin d'apprendre à méditer comme mes mentors...

Wow... c'est la totale ! Je veux ça moi !

Donc si vous avez bien fait l'équation, vous comprendrez qu'évidemment, sept jours plus tard, j'étais moi-même en train de faire une retraite de silence de 10 jours à Vipassana, qui se tenait à l'époque à Sutton au Québec.

Très mauvaise idée !

Apprendre à méditer pour un débutant, ça peut se faire différemment qu'à coup de 10 heures par jour, pendant 10 jours. Je n'avais même pas essayé de méditer un petit cinq minutes pour commencer. Un peu impulsif, ne trouvez-vous pas ?

Mais je voulais, je voulais tellement ! Mais, je voulais quoi exactement ? Je ne le savais même pas moi-même. Mais je voulais, ça je vous l'assure que je le voulais.

J'ai vécu un vrai calvaire ! J'ai tellement souffert ! J'ai eu mal partout et pendant plusieurs jours.

Honnêtement, je ne m'étais même pas informé sur c'était quoi exactement faire l'expérience de Vipassana. En arrivant là-bas, je ne me rappelais même plus que c'était de la méditation toute la journée, sans parler. Moi je voulais méditer et voyager à l'intérieur comme tous ces gens qui parlaient de méditation. Je voulais connaître ce que je ne connaissais pas. Je cherchais ce qui me manquait.

Mais comme tout est toujours parfait, rappelons-nous, ce fut pour moi le début d'un long et merveilleux voyage vers cette version meilleure de mon être. Sans cette expérience, je ne serais assurément pas en train d'écrire ce livre et à expérimenter et vivre la vie que je mène.

Cette version de qui je suis aujourd'hui représente la somme de toutes mes décisions et de toutes mes expériences. Si j'ai finalement acquis une belle qualité de prise de décisions, calmé mes impulsivités et réussi à m'ancrer dans le « ici et maintenant », c'est suite à cette expérience.

« L'intelligence véritable agit dans le silence.
Le calme est l'espace de la créativité et des solutions. »
- Eckhart Tolle

Je remercie la vie aujourd'hui d'avoir eu la chance d'expérimenter les enseignements tels que Vipassana. Je remercie aussi la vie de m'avoir placé au bon endroit, au bon moment, aux côtés de ce drôle de messager qui a croisé un bref instant mon chemin afin de me pointer du doigt la direction que je devais prendre.

Parfois les anges ou les maîtres qui nous guident sur le droit chemin prennent les allures de personnage qu'on n'aurait jamais imaginé croiser.

Je sais aujourd'hui que tout est toujours parfait dans ce grand plan. Cet homme était là pour une raison. En le regardant, j'ai vibré et j'ai pris la bonne route.

C'était une fois de plus un ange déguisé en...Indien.

Vipassana !

Vipassana est selon l'histoire, l'approche de méditation par excellence qui aurait emmené Bouddha à l'illumination.

C'est quoi l'illumination ?

L'illumination signifie être libéré de toute souffrance et négativité. Comme moi aujourd'hui !! Ha ha, mais pas du tout ! C'est des blagues. Il me reste une ou deux souffrances à libérer, après le tour est joué. D'après moi, j'en ai pour six mois encore.

Parfois, on se prend trop au sérieux dans la vie. Faut bien rire un peu, non ?

Lorsqu'on est libéré de toutes souffrances et négativités, on incarne alors ce qu'on peut appeler un Bouddha. Des Bouddhas, il y en a eu en grand nombre dans notre histoire. Le mot Bouddha signifie incarner une qualité d'être. Ce n'est ni un dieu, ni une déesse. C'est un être de lumière, qui s'est libéré et qui partage la connaissance afin d'aider les autres êtres humains à faire la même chose pour les aider à réaliser leur plein potentiel. Un peu comme le Christ, Jésus.

Personnellement, je n'ai jamais rencontré d'être totalement illuminé encore dans ma vie. Alors méfiez-vous des gens qui vous disent qu'ils vont vous permettre d'atteindre l'illumination. Il y a de tout dans ce monde en ce moment. Soyez vigilants. De toute façon, personne ne peut le faire à votre place. Ça demande une démarche rigoureuse et assidue de la pratique de pleine conscience.

It's a looooooooooonnnnnng process.

Vous verrez, plus j'avancerai dans ce livre, plus je ferai référence à ces anciens enseignements remplis de sagesse que nous ont partagés ces grands Maîtres tout au long de notre histoire.

Ce sont les êtres humains qui ont décidé, face à ces enseignements, d'en faire des religions. Mais jamais au grand jamais, ce fut la volonté de ces grands sages.

Pour leur époque, ils étaient de très grands leaders de conscience. Et soyez assuré qu'actuellement, il y en a de plus en plus sur notre planète. Ils ne ressemblent juste pas toujours à ce que nous pourrions imaginer.

Mon expérience de Vipassana !

Cette expérience de retraite fut l'expérience la plus difficile que j'aie pu faire de toute ma vie. Imaginez un peu, méditer, assis par terre, à observer mon esprit s'agiter, à coup d'une heure à la fois et ce, 10 heures par jour. J'étais en train de virer fou.

Après trois jours, je n'en pouvais déjà plus. Tout ce que nous avions à faire était d'observer l'air qui entre et sort de nos narines, 10 heures par jour. Aucun enseignement, qu'il soit verbal ou expérimental, aucune directive autre qu'observer l'air entrant et sortant de mes narines... *Just observe !!* J'étais complètement laissé à moi-même !

J'avais l'impression loufoque de ne pas arriver à vivre la même expérience que les autres participants. Lorsque j'ouvrais les yeux, je voyais 60 gars et 60 filles méditer. De ma position et de ce que j'en percevais, leur expérience semblait tellement agréable et facile.

Ils avaient tous l'air de petits Bouddhas en état de pleine béatitude. De mon côté, ce n'était tellement pas le cas. C'était ma perception, bien sûr. Car en réalité, la plupart des gens étaient dans leurs pensées et trouvaient l'expérience pénible. Vu de l'extérieur, tout semblait vouloir démontrer le contraire.

C'est comme dans la vie de tous les jours, n'est-ce pas ? Le jardin du voisin a toujours l'air plus vert que le nôtre. Mais on ne perçoit qu'une petite partie de la réalité.

Je n'en pouvais plus d'être assis. J'avais le dos courbé, les jambes engourdies. J'avais l'impression que le sang se figeait dans mes veines, je pensais que je ne marcherais plus si je continuais dans cette position inconfortable, tellement mon corps me faisait souffrir.

C'était donc ça la méditation ?

Je ne trouvais rien, c'était plate et mon hamster était de plus en plus agité. Sur une heure de méditation, je crois que j'arrivais à être présent à ma respiration, à peine 20 secondes. Ce n'est pas des blagues.

J'étais toujours parti dans mes pensées. Des pensées qui ne faisaient aucun sens entre elles et qui s'amplifiaient. Je me projetais quelques secondes dans un futur inexistant à imaginer plein de choses et les secondes suivantes, j'étais dans un récent passé à revoir des scènes non réglées de mon existence ou bien, je tombais de longs moments en état de totale nostalgie.

C'était pensées passées, pensées futures, pensées passées, pensées futures, pensées passées, pensées futures. Je n'étais que très rarement dans le moment présent.

Lors de la troisième journée, j'en ai eu assez. Il faisait beau dehors et j'aurais eu bien mieux à faire de mon temps chez moi. Il restait encore sept jours de cette retraite, alors tant qu'à abandonner au sixième ou septième jour, je me disais : je vais abandonner tout de suite et je vais gagner du temps.

Sortant de la salle de méditation à grandes enjambées pour aller faire mes bagages et repartir enfin chez moi, mon mental martelait mon esprit en tentant de me convaincre que je n'avais pas besoin de ça moi, la méditation ! C'est pour les hippies, les granos, les Indiens ou tous ceux et celles qui ont beaucoup de problèmes.

Il faut dire que j'étais à l'époque un très bon critique en plus, avec un sens du jugement assez facile. Mon mental avait les meilleurs arguments : je n'ai pas besoin de ça moi, la méditation. Je ne suis pas souffrant. J'ai du succès dans la vie.

C'est alors que l'assistant-guide est venu me rejoindre à ma chambre et il me dit :

« François, viens faire la prochaine heure. »

Je répondis :

« Non ! Je me rends compte que ce n'est pas pour moi, la méditation. C'est pour les gens souffrants et moi je ne suis pas souffrant. Ça va bien dans ma vie. J'ai une entreprise et j'ai fait beaucoup de formations de croissance personnelle. Je n'en suis pas à mes débuts, tu sais. Je ne suis plus souffrant. Et en plus, ça ne fonctionne pas avec moi la méditation, je n'y trouve rien et...c'est plate. »

Oh que j'étais ignorant. Mais c'était parfait dans mon « process », je vous assure.

Il me répète alors :

« Je comprends ce qui se passe, je t'assure, mais viens juste faire la prochaine heure. »

Je dis :

« Non, je n'ai pas de problème dans ma vie, tout va bien. »

Aujourd'hui avec le recul, j'ai un sourire en coin quand je pense à l'attitude que je pouvais avoir à ce moment-là. J'étais complètement ignorant. Mais j'ignorais que je l'ignorais. Le guide a eu les bonnes paroles et m'a dit :

« François, viens faire la prochaine heure et si après la prochaine heure, tu décides que tu veux t'en aller, c'est *ok* ! Tu t'en iras. »

Bingo ! Marché conclu.

Il faisait tellement beau dehors en plus en ce mois d'août ! J'ai donc accepté d'aller souffrir le calvaire encore 60 minutes pour ensuite être libre comme l'air et repartir chez moi.

La meilleure décision de ma vie !

Encore une fois, c'était un messager qui me guidait en me mettant face à un choix. Ce fut la meilleure décision de toute ma vie.

J'ai fait l'heure suivante, et j'ai décidé de rester pour la suivante, et ainsi de suite. Ça allait tellement mieux soudainement que j'eus la sagesse de me dire : je peux peut-être faire la journée et ensuite on verra.

J'ai fait comme ça toute la 3e journée de même que la 4e, la 5e, la 6e, 7e, 8e, 9e. Et malgré que j'aie dû terminer ma retraite en chaise roulante, j'ai fait les 10 jours au complet ! Mais mon Dieu que j'avais mal partout. (Pour ceux qui ne me connaissent pas encore, la chaise roulante, c'est de l'humour. J'ai terminé en réalité sur une civière.)

J'avais vraiment mal partout.

Ce fut une expérience magique. Difficile oui, mais complètement révélatrice.

Sur la route du retour à la maison, je roulais à 40 km/heure. Tout semblait aller trop vite autour de moi. J'avais, pour la première fois, réussi à ralentir et à m'observer. C'était vraiment une expérience bizarre.

En arrivant à la maison, je ne me doutais pas du choc qui m'attendait. Dans l'entrée de la maison, il y a des portes miroirs. En rentrant chez moi, mes yeux ont croisé mon reflet dans la glace. Ce fut un choc ! C'était la toute première fois de ma vie que je vivais ce type d'expérience. Lorsque je plongeais mes yeux dans les yeux de mon reflet pour me regarder, je voyais quelqu'un d'autre à ma place. Je ne me reconnaissais pas.

Le reflet me renvoyait l'image d'un nouveau moi-même, une nouvelle version !

J'avais l'air totalement détendu. Je me trouvais beaucoup plus beau. J'avais plus d'énergie aussi. J'avais des étoiles dans les yeux. Il y avait quelque chose qui avait changé en moi que je n'arrivais pas à identifier. C'était très subtil... mon énergie avait changé.

Pour la toute première fois de ma vie, j'arrivais à connecter avec cette partie de moi qu'on semble décrire dans les livres. Difficile à expliquer car je n'en étais qu'à mes premiers balbutiements, mais il s'était passé quelque chose de formidable durant cette expérience qui avait transformé autant mon apparence extérieure que ma manière d'être et de poser un regard sur la vie.

Lorsque je parlais aux gens qui m'entouraient, il y avait également quelque chose qui avait changé. Comme si j'étais dans une autre position à l'intérieur de moi, plus calme et plus serein. J'étais différent et j'aimais vraiment ça.

Pendant les jours et semaines qui suivirent, ma vie se transforma littéralement. Absolument tout me collait dessus et me réussissait. J'étais comme un aimant qui attire tout à lui ! J'avais la sensation que toutes les connaissances qui m'avaient été présentées dans mes nombreuses formations de croissance personnelle ainsi que dans les nombreux livres d'éveil que j'avais dévorés, semblaient prendre leur sens et s'intégrer en moi. Tout me semblait acquis, je semblais vivre tous les enseignements que j'avais étudiés assidûment et les incarner. La vie était magique.

À ce moment-là, je pensais que j'avais compris. Je me suis dit :

« Wow ! C'est une question de méditation et d'attraction. Je me suis dit en moi-même, je dois faire ça au moins une fois par année. »

Cette connexion avec quelque chose d'autre et de plus grand que moi, que pour la première fois, j'arrivais à percevoir.

Encore une fois, mon ego était très fort, je cherchais la connaissance et ce n'était pas bien ancré et bien senti. Je recherchais encore et encore le succès et non une pleine réalisation de mon âme.

Le défi de ce genre d'expérience, c'est de maintenir l'état de béatitude qu'on y acquiert au quotidien. C'est pour ça que refaire l'expérience une fois par année me permettait d'unifier régulièrement ma vraie nature avec mon âme.

« C'est à l'endroit où l'eau est la plus profonde qu'elle est la plus calme. »
- William Shakespeare

De la connaissance à la pleine conscience !

Les retraites de silence Vipassana ont littéralement transformé ma vie. Par contre, ce sont les expériences les plus rigoureuses que j'aie pu faire.

Mais ce voyage où tout était rose ne dura pas longtemps. Mes problèmes m'ont très rapidement rattrapé et petit à petit, je me suis refondu sans m'en apercevoir dans l'ancien moule confortable de François Lemay.

C'était parfait dans le grand plan. Ça faisait partie de mon processus. Encore à cette époque, je l'ignorais.

À ce jour, j'ai vécu plus de 13 retraites de 10 jours Vipassana. Elles ont complètement changé ma vie. J'ai aussi créé mes propres retraites de silence et d'enseignement de pleine conscience, les retraites Kaizen. J'en organise plus d'une douzaine par année. Je vulgarise et rends accessible ces enseignements pour tous. Ce n'est pas tout le monde qui peut ou veut aller faire l'expérience Vipassana de 10 jours.

Je suis arrivé à mettre en place une approche extrêmement efficace au travers des retraites de pleine conscience Kaizen. Elles permettent aux gens qui y participent de comprendre plus rapidement et plus facilement les principes de base de méditation et de l'art de vivre en pleine conscience, pour ensuite pouvoir aller vivre l'expérience Vipassana. Vipassana, c'est une technique extrêmement puissante partagée par le Bouddha, qui permet de véritablement purifier les négativités de l'esprit. Mais Vipassana ne peut se faire seulement qu'à Vipassana.

Je suggère à beaucoup de monde de vivre cette expérience. Des centaines de personnes se sont prêtées à l'expérience suite à mes retraites et conférences. Et j'espère de tout cœur que ce livre en incitera plusieurs autres à tenter l'expérience.

Je cumule à ce jour près de 3 000 heures de méditation. Si seulement les gens pouvaient comprendre ce que cela représente. C'est bien au-delà de la méditation. C'est un chemin de reconnexion avec notre véritable nature.

Imaginez ! Pendant 10 jours, à méditer, à observer son mental, son esprit, pas de Bouddha, Allah, Krishna, Jéhova, Tonka, Toyota. Rien ! Tout ça, sans dieux ni déesses qui t'expliquent quoi que ce soit. Pas de grands mentors, de guides, de coachs, de conférenciers ou auteurs qui t'expliquent comment ça fonctionne ou qui te transmettent des notes de cours afin de rassurer ton mental. Tout ce que tu reçois comme information provient d'enregistrements audio sous forme d'histoires, le soir de 19h30 à 20h30, et certaines instructions et chants audio avant les méditations.

Le reste du temps, c'est toi avec toi-même. T'observer pendant 10 heures par jour, par tranches d'une heure en position de méditation. Tes moments les plus magiques de la journée surviennent quand arrive l'heure de manger et marcher à l'extérieur. Toute une expérience, je vous assure.

Le véritable enseignant est en vous !

Après les 4e, 5e, 6e et 7e expériences, je me rendais compte que je commençais à me libérer à vitesse grand V. Tout ce que j'avais vu du côté de la PNL, de l'hypnose ou de plein d'autres formations devenait rapidement soit assimilé ou éliminé.

Je cheminais et me libérais à vitesse grand V grâce au pouvoir du silence et de la méditation, grâce à la compréhension juste du potentiel de mon esprit et de ma nature. Soit : penser, parler et agir en pleine conscience et de façon juste. Être et observer en pleine conscience et accueillir ce qui est afin de libérer mon véritable potentiel.

Mais soyez attentifs, le meilleur des enseignements est à venir dans ce livre. Ce que j'ai saisi après des milliers d'heures de méditation, ce que j'ai reçu comme guidance et enseignement, je m'apprête à vous le partager pour vous offrir un chemin direct vers votre propre vérité.

La vérité, c'est que tout est déjà en vous, **ABSOLUMENT TOUT**.

Tout est déjà là

CHAPITRE 5

Tout est déjà là

« Un oiseau assis sur un arbre n'a jamais peur que la branche casse, parce que sa confiance n'est pas dans la branche, mais dans ses propres ailes ! »

(Anonyme)

Au cours d'une expérience Vipassana, si je me souviens bien à ma 8e retraite de 10 jours de silence et de méditation, j'ai réalisé qu'au final, j'avais tout en moi. Tout était là, bien en place.

Comme vous le savez, j'étais un passionné de croissance personnelle et professionnelle, mais aussi un « addict » de connaissances.

J'avais cumulé beaucoup de titres tels que je vous l'ai mentionné plus tôt ; maître en ceci, maître en cela, coach de ceci et de cela, sans compter que j'avais eu le privilège d'étudier avec les plus grands noms de la croissance personnelle. Par contre, je cherchais toujours LA formation qui me transformerait littéralement. J'avais l'impression qu'il me manquait un petit quelque chose que je n'arrivais pas à définir mais qui faisait que je me sentais incomplet !!

Je m'étais beaucoup transformé. Je m'étais énormément libéré du jugement. L'impulsivité qui m'habitait s'était énormément atténuée. Le côté colérique que j'avais tendance à avoir était totalement disparu. J'avais réussi à me départir de certains comportements comme l'auto-sabotage. Je n'étais plus dans la critique par rapport à moi-même. J'étais davantage dans l'amour pour moi, dans ma bienveillance.

Lors de cette 8e expérience, alors que je me rends dans la nature et que je m'observe, je me rends compte à quel point, disons-le, je suis un génie.

J'observe les pensées qui viennent. Je me mets à comprendre plein de choses. Je comprends que plus on arrive à calmer notre esprit, plus les idées de génie apparaissent. Je comprends également qu'on se met à voir de plus en plus clairement le portrait de notre vie qui prend forme sous nos yeux.

Je suis donc dans la nature et je me mets à voir une panoplie de choses que je ne voyais pas avant et je me dis :

« *Oh my God !* Va falloir que je partage tout ça. »

À chaque fois que j'expérimentais un Vipassana, tout devenait tellement clair, limpide comme de l'eau de roche. J'entrais dans un état de béatitude totale et je savais exactement par où je voulais me diriger pour poursuivre ma belle aventure.

J'avais le sentiment d'être ce prospecteur qui découvre une mine d'or.

Par contre, à chaque fois que je revenais dans mon quotidien, j'arrivais à maintenir cette clarté pour environ une semaine ou deux seulement et je finissais par l'échapper. Pourquoi ?

Probablement parce que je me laissais modeler par les pressions du moule proposé par notre société. Lorsque j'essayais de faire mon marketing, mon branding, mon positionnement au travers des conférenciers et coachs qui existaient déjà, je ne cessais de me comparer à eux. Cette huitième expérience-là, allait littéralement transcender mes manières d'être.

Au cours d'une pause du midi, je marchais calmement en nature à regarder les écureuils, les oiseaux et à observer l'œuvre d'art d'une araignée, aussi petite soit-elle. Sérieusement, c'est de la pure magie tout ça. Je pourrais probablement écrire un livre juste à propos de cette expérience.

« François au pays des araignées » disponible prochainement dans une librairie près de chez vous.

J'étais donc assis en train de tisser des liens parallèles entre moi et ma nouvelle amie l'araignée en passant un moment inoubliable. Je me rends compte à quel point l'araignée est parfaitement conçue ; à quel point elle crée une œuvre d'art avec agilité et l'habileté dont elle fait preuve en tissant ainsi sa toile. Et ce, sans parler de son rôle important dans la nature.

C'est comme si j'arrivais à comprendre le moindre petit détail de la vie. Le vent, pourquoi on arrive à entendre le vent ? Parce qu'il y a des résistances, tout simplement ! S'il n'y a pas de résistance, on ne peut pas percevoir le vent, voilà ! Me voilà en train de faire une multitude d'analogies, une multitude de liens, tous aussi importants les uns que les autres sur la vie de tous les jours.

Et là, je me dis :

« À chaque fois que je viens ici pour m'arrêter, me déposer en silence et me reconnecter avec qui je suis vraiment, j'accède à de l'information en continu comme jamais auparavant sur la vie de tous les jours. »

Quelque chose m'a frappé à ce moment. Je me suis rendu compte que lorsque j'arrivais à totalement décrocher mon mental du train-train quotidien, je me sentais connecté avec le grand tout et que j'étais inspiré et guidé comme jamais.

Malheureusement, lors de ces expériences on ne peut pas écrire pour ne pas nourrir et agiter le mental. Cependant, à chaque fois que j'arrivais dans cet état de reconnexion, en communion avec la nature, j'aurais pu écrire des tonnes de livres et conférences.

Il aurait suffi qu'on installe des électrodes sur ma tête pour y extraire tout ce qui m'était insufflé en cet instant précis et qui défilait en continu dans mes pensées. Tout était tellement clair: J'étais à ce moment un génie et je n'en doutais pas une seule seconde.

Plus rien à quoi s'attacher !

Pourtant, dans mon train-train quotidien, je n'arrivais pas à prendre mon envol. Tout était bien en place mais malgré tout, ça ne fonctionnait pas. Je cherchais sans fin. Ce qui en résultait, malgré que je sois maintenant devenu tous ces titres, était que je n'arrivais pas à démarrer ma pratique de coaching, ni à donner plus de conférences et/ou à offrir des formations.

Je stoppais moi-même le flot de la vie sans m'en rendre compte. J'étais dans mes insécurités et dans ma soif de connaissances. Vous comprendrez que je n'étais pas non plus dans l'abondance de la vie. J'étais plutôt dans le manque... pour ne pas dire en mode de survie.

Mes comportements de recherche d'une grande connaissance étaient très clairs dans mon esprit alors que je marchais dans la belle nature de Montebello au Québec, durant ma retraite.

« Fini la recherche de connaissances mon grand. Tu le sais au plus profond de toi, tout est déjà là. Aie confiance en la vie, elle saura te guider. Prends ta place. Le monde a besoin de toi. »

Voici le message qui montait clairement et prenait tellement d'ampleur en moi.

Je sentais cette ouverture exaltante à la vie. C'était viscéral. J'étais à la fois ancré, ouvert, enthousiaste et en paix. Un « feeling » qui allait me servir de guidance de nombreuses fois tout au cours de ma vie et encore aujourd'hui.

À la fois ancré, ouvert, enthousiaste et en paix !

Au matin de mon retour de cette 8e retraite de silence et méditation Vipassana, je tourne le coin de la rue chez moi et je m'arrête derrière un camion de récupération. Ce camion passait comme à toutes les semaines pour ramasser les articles à récupérer dans notre secteur. Je suis alors soudainement frappé par un flash, une intuition, une inspiration. Je me sens poussé d'agir et fortement guidé pour le faire. C'est évident ! J'écrase le « champignon » et me voilà à doubler ce camion à toute vitesse pour arriver chez moi le plus rapidement possible.

Une incroyable force que je qualifie de divine et en pleine conscience me pousse à rentrer rapidement chez moi. J'embrasse ma charmante conjointe et je me dirige à grands pas vers mon bureau hébergeant mes trésors ! Ces trésors auxquels je suis si attachés.

Ma fameuse bibliothèque contenant tous mes cartables de formation, toutes mes notes, mes centaines de « post-it », et petits bouts de papier me permettant de retenir les plus importantes et essentielles informations.

Me voyez-vous venir ?

Poussé par une force incontrôlable, je prends tous ces manuels et ces livres détenant selon moi l'absolue vérité du monde. Ceux-là même qui à mes yeux ont une valeur inestimable et je me vois, en position de témoin, m'empresser d'aller déposer le tout dans le ventre de ce gros conteneur bleu de récupération qui les engloutit d'une seule bouchée. Tout cela se passe dans un temps record, le camion étant rendu chez le voisin d'à côté.

Cette scène s'est déroulée en moins d'une minute.

Je regarde le camion reprendre son itinéraire avec au ventre ce travail intensif représentant les sept dernières années de ma vie. Toutes mes notes et mon travail de moine entrepris par ma soif insatiable de vérité et de connaissances. Tous mes beaux cahiers de cours et mes belles notes de prise de conscience, ma vérité à moi, le grand François Lemay. Je n'avais plus rien maintenant.

Il me manquait toujours quelque chose

Ce fut un des tournants les plus importants de ma vie. Je m'étais, grâce à cette retraite de silence, libéré d'une de mes souffrances les plus importantes… du moins en partie.

De quelle souffrance s'agissait-il selon vous ?

Probablement la souffrance la plus répandue dans ce monde et qui empêche la grande majorité des gens d'explorer leur vrai potentiel et de connaître l'abondance véritable.

J'ai nommé : l'insécurité.

Encore une fois, agir de cette façon demande beaucoup d'audace. Le courage de suivre ses convictions. Eh oui je vous l'accorde, il y avait également un peu de délire dans cette action ! Mais à partir de ce moment-là, lorsque j'ai compris que j'étais attaché à la connaissance et que j'ai accueilli le fait que tout était déjà là en moi, ma vie s'est littéralement transformée.

Je dois dire que j'étais de ceux et celles qui n'osaient pas prendre leur place. Je n'osais pas donner de formations malgré mes connaissances et expériences. Je ne faisais pas vraiment de conférences parce que j'étais habité du syndrome de l'imposteur et je ne me sentais pas à la hauteur.

Je n'osais pas faire de coaching même si j'étais diplômé car j'avais peur de ne pas maîtriser toutes les techniques et stratégies nécessaires à un bon coaching. Soit dit en passant, de toutes ces stratégies apprises dans mes formations, je ne les utilise même pas aujourd'hui pour la plupart.

J'avais toujours espoir que cette prochaine formation m'emmènerait au niveau tant recherché. Que ce tout dernier livre qui venait tout juste de sortir compléterait ma quête sans fin.

Je devais voir tous les conférenciers. Avant de refaire une conférence ou avant de partir en formation, j'étais du style à relire tous mes livres. J'avais besoin de ça, mais c'était mon insécurité qui parlait à travers moi. J'avais l'impression qu'il me manquait toujours quelque chose avant de déployer mes ailes, et c'est pour cette raison que je me réfugiais dans la connaissance.

J'étais celui qui lisait 2-3 livres en même temps et qui bien souvent ne les terminait pas. J'avais soif de connaissances, d'apprendre, mais c'était devenu plutôt une addiction et ce n'était plus sain mais plutôt un piège.

Est-ce que vous reconnaissez quelqu'un au travers de mes propos ?

À partir de ce moment-là, la seule manière pour moi de me réaliser, était de fermer mes yeux et d'aller écouter ce qui au fond de moi cherchait à s'extérioriser pour le bien de tous. Je savais qu'à chaque fois que j'allais à Vipassana, que j'allais en silence, que je me connectais directement avec la nature, que j'apprenais à me calmer et que j'avais accès à d'infinies possibilités.

Aujourd'hui, j'accompagne des milliers de personnes et je peux vous dire qu'une grande quantité de ces gens-là sont malheureusement dans le piège de la connaissance. La connaissance est véritablement un piège car elle nous positionne au niveau du mental. Plus elle nous garde au niveau du mental, plus on se met à analyser et chercher ce qui nous manque dans la vie.

Et pourtant, tout est déjà là. Ce qu'il faut chercher, c'est le chemin de la reconnexion.

Le chemin de la reconnexion vient avec la simplicité, la respiration et l'instant présent. À ce moment-là, mes choses ont commencé réellement à décoller. J'ai lancé d'autres conférences.

J'ai démarré ma pratique de coaching ainsi que mes premières formations où j'avais au début 2, 3, 4, ou 5 participants.

Je me suis dit que j'allais améliorer mon processus. Pour pouvoir monter une formation, chaque fois je fermais les yeux, j'allais m'asseoir sur mon coussin de méditation et je calmais ma machine pour pouvoir écrire.

Un peu comme je suis en train de faire présentement. Pendant que j'écris ces lignes, je suis assis en position de méditation, je me ferme les yeux et quand l'inspiration vient, je me mets à écrire.

Les gens sont pris, tout comme je l'étais, dans la connaissance. Au moment où j'écris ces lignes, nous sommes en 2016. Les gens cherchent toujours du nouveau contenu, cherchent toujours la nouvelle chose qui va leur permettre d'être plus en paix, leur permettre de devenir encore plus et à posséder encore plus.

Pourtant, tout est déjà là. Oui, tout est déjà là, en nous. Le chemin à prendre pour se rendre là n'est pas rempli de sensations. Le chemin de la reconnexion passe par la respiration, la présence, l'acceptation, l'amour, l'accueil et la reconnaissance.

Pourtant, les plus grands sages de tous les temps sont venus nous partager exactement ce même message-là. Mais nous, nous aimons mieux nous étourdir avec des supposées techniques qui vont nous permettre de nous libérer à vitesse grand V. Des techniques avec de longs noms pour impressionner notre esprit, ou avec la notoriété d'un tel parce qu'il a écrit un livre, ou parce qu'ils remplissent les salles ou qu'ils ont développé eux-mêmes, une nouvelle approche de coaching.

Ho wow ! Psycho-neuro-senso-émotiono-transformo-quantique, une technique que j'ai inventé moi-même. Oui oui, moi, le grand François, la voulez-vous ? Pas cher, pas cher !

Sérieusement, on s'étourdit avec ça et notre mental adore se saouler de nouvelles connaissances qui font du sens. On s'étourdit et nous voulons de plus en plus posséder afin de devenir heureux !

Mais on ne devient pas heureux, on EST heureux quand nous arrivons à vivre en cohérence avec la vie.

La réalité, c'est que plus je cherche à posséder, plus je reste dans mes insécurités et moins je suis connecté avec ma véritable nature. Si vous lisez ces lignes en ce moment et que vous êtes au début de votre processus de transformation, vous êtes un être privilégié. Parce que je crois que vous tombez sur des enseignements qui sont les plus justes possibles et très simples à appliquer avec les lois de la nature.

Nul besoin d'investir, comme je l'ai fait, près de 100 000 $ en croissance personnelle pour vivre davantage mieux, davantage heureux, pour vivre davantage en cohérence. Si je suis passé par là, *it's ok* ! Je devais passer par là. C'était parfait comme ça.

L'impulsif en moi, l'éparpillé en moi, l'indiscipliné en moi, cherchait toujours ce qui lui manquait. Je n'avais pas confiance en moi. J'avais besoin de me sentir au-dessus de tout le monde, meilleur que tout le monde. J'avais également besoin d'être reconnu parce que j'avais un titre de maître coach en ceci ou en cela, un titre de...Peu importe.

Tout est là, à l'intérieur de vous. La question que vous devez vous poser est : comment je me sens lorsque je vais marcher dans la nature ? Comment je me sens quand je suis totalement attentif dans l'instant présent avec mon chien, avec mes enfants peut-être ? Comment je me sens quand j'arrive à avoir la paix d'esprit. La clé est là ! On fait tout pour être heureux ! Et pourtant, c'est très simple.

Il faut apprendre à vivre en pleine conscience, à établir ses valeurs, à apprendre à vivre en cohérence avec les convictions que nous portons à chaque instant, à fonctionner en co-création avec ce grand système-là et les gens qui nous entourent et laisser couler notre amour et notre bienveillance.

Laissons la nature nous guider et faire son œuvre. Nous avons un pouvoir de création exceptionnel ! Utilisons-le ! Nous sommes des êtres humains !

La connaissance est un grand piège. Et surtout, plus on acquiert de la connaissance, plus on devient en situation de pouvoir. Mais c'est de la pure illusion. Avoir un pouvoir et avoir peur de le perdre parce que quelqu'un pourrait avoir plus de connaissances que nous, c'est de la pure illusion, de la pure folie. On porte alors l'insécurité en nous.

Pour avoir accompagné des centaines de personnes, je me rendais compte que telle personne voulait faire telle formation parce que cette formation-là allait l'emmener plus loin. Il voulait terminer ce parcours-là pour avoir un titre, des lettres de noblesse qui lui permettraient d'être accrédité ou d'être autre chose que ce qu'il était.

La réalité, c'est qu'aujourd'hui, 90 % des gens avec lesquels j'ai participé à des formations ne coachent pas, n'accompagnent pas même s'ils possèdent la connaissance ! Pourquoi ?

Parce qu'ils ont toujours eu ce sentiment d'insécurité-là. Ce sentiment de ne pas être à la hauteur, ce syndrome de l'imposteur ! Donc, au lieu d'appliquer les enseignements sur eux d'abord et avant tout, d'arriver à se calmer et se libérer, ils demeurent coincés dans les mêmes « patterns », les mêmes conditionnements et ont cherché, cherché, cherché sans trouver ce qui leur manquait à chaque instant. En réalité, tout est toujours parfait.

Si on ne comprend pas certaines choses dans la vie, elles vont se répéter, se répéter et se répéter jusqu'au moment où on arrivera à assimiler la leçon. Tout conspire à nous ramener vers la reconnexion. Toute résistance, toute insécurité, tout sentiment d'être perdu, l'univers conspire à chaque instant pour nous permettre de revenir à la reconnexion de qui nous sommes vraiment.

Si vous êtes de ceux et celles qui ont essayé 1001 approches, si vous êtes de ceux et celles qui ont tendance à se perdre, à avoir 2 à 3 livres sur leur table de nuit, des livres non terminés ou qui achètent des formations mais qui ne les font pas, vous devez prendre un recul et vous dire : « Attends ! Il y a peut-être quelque chose que tu fais qui n'est pas aligné. Qu'est-ce que tu pourrais faire de différent ? Est-ce que tu pourrais essayer de te reconnecter à qui tu es vraiment ? »

Vous savez, quand j'enseigne les retraites de pleine conscience Kaizen, j'ai des gens d'un peu partout dans le monde qui y viennent. Des gens avec de grands titres : des avocats, des entrepreneurs, des psychologues, des psychiatres, des policiers etc. J'en ai de tous les types parce que la référence et la notoriété se sont construites avec le temps. Les gens ont reconnu ma façon de vulgariser des enseignements d'une grande sagesse afin de les rendre accessibles et assimilables à Monsieur et Madame tout le monde. Ils arrivent souvent dans une retraite de 4 jours avec 3, 4 ou 5 livres.

Parce qu'ils savent qu'ils vont être dans une période de silence et ils veulent être sûrs de ne pas manquer de contenu. Certains même viennent avec des livres dans lesquels ils pourront réviser leurs notes ! D'autres viennent même avec leurs espadrilles pour aller courir. J'ai déjà vu quelqu'un arriver avec ses skis de fond pour pouvoir, pendant les pauses, aller faire du ski de fond ! À chaque début de retraite, le discours est le même.

Observez-vous. Observez-vous. Quand on veut arriver à se calmer, à se déposer, à faire le vide, ce qu'il faut apprendre à faire, c'est de bien ne rien faire !

Bien ne rien faire, c'est un art !

Bien ne rien faire, c'est un art, car notre esprit nous emmènera tout de suite ses conditionnements conscients. La culpabilité montera : je ne peux pas ne rien faire voyons, je ne peux pas m'arrêter, ça n'a pas de bon sens !

Les gens peuvent se sentir coupables rapidement ou bien veulent s'étourdir. Ils voudront aller s'entraîner, aller faire quelque chose. Sinon, ils voudront écrire, lire ou quoi que ce soit d'autre.

Ils chercheront automatiquement à occuper leur esprit. Si nous avons besoin de vidanger notre esprit, si nous désirons ne plus être saturés, nous devons absolument apprendre à bien ne rien faire.

Bien ne rien faire, c'est un art. Alors les gens viennent à la retraite Kaizen et je pose toujours la question : qui ici est venu avec un livre, deux livres, trois livres ? Et je suggère fortement de (C'est seulement une suggestion parce que j'ai décidé de ne pas dire aux gens comment diriger leur vie !):

S'observer !

Jouer le jeu au cours des prochains quatre jours.

De ne pas lire.

De ne pas rentrer d'information dans leur esprit.

De ne pas s'entraîner physiquement.

Pourquoi ? Parce qu'à chaque instant, on est en train de gober de l'information. Si on occupe notre esprit par la lecture, à prendre nos courriels, nos textos, nous sommes constamment en train de rentrer du code dans notre tête. Rapidement, on devient saturé. Et c'est là que le stress embarque, l'anxiété embarque. C'est là que les « patterns » inconscients embarquent, qu'on se met à fonctionner par défaut, qu'on fait des choix incohérents dans la vie. Tout ça parce qu'on est saturé, parce qu'on ne s'observe pas assez, qu'on ne se voit pas aller.

Il faut apprendre à ***bien ne rien faire***. Aller marcher dehors et observer tout simplement la nature être. Observer les feuilles, les couleurs, les nuages. Entendre les oiseaux chanter ou peut-être observer les canards sur le lac. Entendre le bruit de l'eau sur le bord de la rive. Sentir la fraîcheur sur notre peau, les rayons de soleil réchauffer notre visage. Écouter le bruit que font chacun de mes pas quand je marche sur le gravier. Être attentif peut-être à la gorgée d'eau que je vais prendre et sentir l'eau descendre tout au long de mon œsophage. Peut-être aussi arriver à percevoir le doux battement de mon cœur. Arriver à voir à quel point je me sens vivant et que je me sens bien. Peut-être se mettre à observer les fourmis, les araignées. Peut-être se mettre à observer les plantes, les pelures d'une orange ou les pépins d'une pomme !

Pendant que je suis en train de faire ça, je suis en train de vivre en pleine conscience. Je suis en train de bien ne rien faire. Je suis en train d'installer la paix à l'intérieur de moi.

Plus je vais apprendre à bien ne rien faire, plus la paix va s'installer rapidement à l'intérieur de moi. Mais en réalité, tout est toujours parfait.

Si nous avons tendance à nous étourdir et que nous n'essayons pas d'autres approches, on ne revient pas ici dans l'instant présent. Alors tout va se répéter et tout va se répéter et tout va se répéter. Il arrivera un moment où nous aurons envie de tout abandonner ou que nous agirons de manière impulsive. Sinon, nous serons vite découragés ou aurons envie de pleurer toutes les larmes de notre corps. Pourquoi ?

Parce que tout simplement la vie nous amène dans nos résistances. Et si tu n'apprends pas à déballer tes résistances en pleine conscience, elles vont te hanter, te poursuivre et au moment où tu t'y attendras le moins, elles vont ressurgir, te connecter directement avec tes souffrances. Tu risques alors de voir exploser une charge émotionnelle refoulée depuis fort longtemps. Je vous suggère fortement de vivre l'expérience du silence. Tout est là dans le silence. Dans le silence, on reconnecte avec qui nous sommes vraiment. De mon côté, je suis quelqu'un qui est très volubile. Quelqu'un qui est entouré de beaucoup de personnes. Quelqu'un qui a 1001 idées, et 1001 projets. Ça a été tout un défi pour moi d'aller en silence et d'apprendre à méditer. Mais si j'y suis arrivé, vous aussi pouvez y arriver.

Aujourd'hui, j'ai encore 1001 idées. Je veux toujours avoir plein d'idées parce qu'un des potentiels de l'esprit humain est de concrétiser ses rêves, d'être induit par ses inspirations. Mais aujourd'hui, je suis ancré, j'arrive à être ici au moment présent, j'arrive à faire des choix conscients et cohérents. Aujourd'hui, j'arrive aussi à établir clairement mon idéal de vie parce que j'arrive à observer ce qui fait littéralement vibrer ma machine.

Aujourd'hui, j'arrive à ***bien ne rien faire*** et j'arrive aussi à me libérer du piège de la connaissance.

Vous, êtes-vous pris dans le piège de la connaissance ? Avez-vous de la difficulté à bien ne rien faire ? Si oui, *it's ok! It's a process !* Tout est toujours parfait et tout a sa raison d'être.

Si vous essayez de bien ne rien faire, qu'est-ce qui émerge ? Un sentiment de culpabilité ? Un désir de vouloir performer ? La sensation que vous devez meubler le temps ? Qu'est-ce qui se passe à l'intérieur de vous ? Il y a peut-être quelque chose qui émerge ? Ton père t'a toujours dit que tu n'arriverais à rien faire dans la vie ?

Il y a plein de choses qui vont émerger au travers cette expérience de bien ne rien faire. Si je te dis d'arrêter de faire telle formation, d'arrêter de t'étourdir, qu'est-ce qui va émerger ? Le sentiment de ne pas être à la hauteur par rapport à ton collègue de travail ? Le sentiment qu'il va te manquer quelque chose ? Qu'est-ce qui va émerger ? Est-ce de l'insécurité ? Si oui, peux-tu accueillir cette insécurité-là ?

Tout a sa raison d'être au travers du processus. Tu devrais être en mesure d'être en paix avec toi-même.

Le succès, c'est de se coucher le soir avec une paix d'esprit. Aujourd'hui, on se retrouve dans un monde où tout le monde est saturé. Où la majorité des gens ont des déficits d'attention. On se retrouve dans un monde où les gens prennent de plus en plus de médication et où les gens mangent leurs émotions. On se retrouve dans un monde où les gens ont de la difficulté à dormir le soir ! Et tellement dans un monde où les gens ont de la difficulté à s'arrêter.

Tout est toujours parfait. Tout conspire à chaque instant, afin de nous ramener vers la reconnexion. Même le stress a sa raison d'être.

Aujourd'hui, chacune de mes conférences, de mes formations et même le livre que je suis en train d'écrire présentement sont faits de la même façon. Je me concentre, je me calme, je me positionne ici dans l'instant présent, je demande guidance et je laisse couler ce qui doit être à travers moi.

Vivre en pleine conscience, c'est observer ce qui nous met en réaction. C'est accueillir ces insécurités-là avec le désir profond de se libérer de celles-ci. C'est vouloir laisser la vie couler à l'intérieur de nous. Après toutes ces années qui se sont écoulées, j'arrive à dire que j'ai très peu ce sentiment dans ma vie.

Quand l'insécurité arrive, déballez-la tout simplement en pleine conscience, parce que je crois qu'elle a sa raison d'être. Elle est là pour vous permettre de vous libérer d'une couche supplémentaire afin vous reconnecter à qui vous êtes vraiment.

Et si tout était parfaitement orchestré ? Si tout était déjà là ? Et si on avait un pouvoir exceptionnel, un génie créatif exceptionnel, un pouvoir de manifestation exceptionnel ?

Moi je suis de ces grands rêveurs qui sont convaincus que tout est déjà là. Pour l'avoir vécu moi-même et pour avoir accompagné des milliers de personnes et avoir vu la magie de la vie opérer d'incroyables résultats sur eux. Vivre en pleine conscience, c'est une approche qui fonctionne à tous les coups, au moment présent, à court terme, à moyen terme et à long terme.

Un pas à la fois, c'est aussi pour toi. Si tu es en train de lire ce livre présentement, c'est parce que cette lecture a sa raison d'être dans ta vie, elle est arrivée jusqu'à toi. Observe-toi, avance un pas à la fois en direction de ton idéal de vie.

Ce que tu dois comprendre en ce moment arrivera à toi.
Aie confiance !

L'équilibre n'existe pas

CHAPITRE 6

L'équilibre n'existe pas

« Ce n'est pas un signe de bonne santé mentale,
que d'être adapté à une société malade. »
- Jiddu Krishnamurti

Mon ascension du Kilimandjaro

Qui n'est pas à la recherche d'une meilleure vie ? Nous aimerions tellement tous avoir une vie plus passionnante, des plus stimulantes, un peu plus abondante et/ou pourquoi pas, plus calme. Une grande majorité de gens sont à la recherche du bonheur et le chercheront probablement toute leur vie.

Et si le bonheur était caché dans les petits détails du quotidien, ceux qu'on côtoie en cours de route, dans les petites actions ? Se pourrait-il qu'il s'en trouve beaucoup dans la simplicité et dans les dépassements ? Bref, je crois sincèrement aujourd'hui que le bonheur est un choix de vie. Un choix sur lequel j'ai choisi de porter mon attention au quotidien.

En 2008, alors que s'opérait un grand changement dans ma vie, j'étais dans un grand tournant qui comportait beaucoup de bouleversements majeurs puisque j'étais en pleine instance de séparation. Je sortais d'une relation de dix ans avec ma conjointe de l'époque et je venais également de vendre l'entreprise que j'avais dirigée durant les huit dernières années. De plus, je me lançais dans ma toute nouvelle carrière de coach et conférencier à temps plein.

J'avais décidé à ce moment de vivre un gros défi. Je sortais de ma zone de confort et je partais, pour la toute première fois de ma vie, à l'aventure sur un autre continent. Mon projet était d'aller vivre un safari de onze jours en Afrique dans la Tanzanie et pour compléter ce voyage, j'effectuais l'ascension du Kilimandjaro.

C'était un très grand rêve que je chérissais en mon cœur depuis fort longtemps. Regarder les étoiles directement du septième plus haut sommet du monde, me faisait frissonner juste à y penser. Mais encore une fois, même si mon intuition me guidait vers ma pleine réalisation, j'avais très peur en même temps.

Ce voyage a eu des répercussions positives sur ma vie. D'ailleurs, au moment d'écrire ces lignes, je prends conscience que je ne parle pratiquement jamais de cette expérience lors de mes conférences. Et pourtant j'y ai gagné tellement de perles de sagesse.

La nature est une école et la montagne, son enseignante. Encore faut-il savoir l'écouter.

Nous étions dix personnes pour faire l'ascension de cette belle et majestueuse montagne. Dix personnes qui ne se connaissaient pas pour la plupart. J'y étais en compagnie de mon meilleur ami de l'époque, Jean-François.

Ce qu'il faut savoir au retour de ce genre d'expérience, c'est que nous les grimpeurs nous y gagnons beaucoup de respect pour avoir osé escalader cette impressionnante et majestueuse montagne. Pour chaque participant, il y a trois « sherpas » qui travaillent dans l'ombre afin d'y monter des vivres et du matériel pour la réussite de l'expérience. Que ce soit des sacs, de l'eau pour le groupe, des tentes, de la nourriture, des casseroles pour la cuisson de la nourriture, etc., tout ce matériel et ces denrées sont montés pour un groupe totalisant quarante-deux personnes, incluant les deux guides.

À l'aube, et ce pendant les sept jours que dure l'ascension, les « sherpas » préparent le petit déjeuner et mettent la table dans la grande tente verte afin que le tout soit protégé de la pluie et des vents. Notre groupe de dix touristes grimpeurs et de deux guides, quittait le camp le matin pour marcher toute la journée afin de se rendre au camp suivant.

Ce qui m'étonnait le plus et me laissait des plus perplexes, c'était de constater que les « sherpas » avaient le temps de nous préparer notre petit déjeuner chaque matin, tout nettoyer par la suite, démonter le campement, replier bagage et même de nous dépasser durant notre propre ascension. Tout ça avec un petit sourire en prime puisé de je ne sais trop où.

Wow ! Moi qui avait déjà lors de la première journée des maux de pieds et deux ampoules aux talons, j'étais ébahi de voir les trente « sherpas » nous dépasser rapidement. Ils pouvaient ainsi s'activer à monter le campement afin qu'à notre arrivée, nous puissions aller nous réchauffer avec un bon café et apprécier le repas qu'ils avaient eu le temps de nous concocter !

Honnêtement, je ne m'étais pas vraiment informé avant de partir sur le fonctionnement exact de toute cette belle aventure. J'avoue que j'étais déstabilisé de prendre conscience qu'à mon retour, j'aurais tout l'honneur, le respect et la reconnaissance de beaucoup de personnes, alors qu'en réalité, des hommes travaillant dans l'ombre, étaient responsables de la presque totalité des plus grandes tâches. Ceci dans le but de nous permettre à nous, les touristes grimpeurs, de réaliser nos rêves pour pouvoir dire et raconter à qui veut l'entendre, que nous avions escaladé l'un des plus hauts sommets du monde.

Chaque jour, c'était la même routine !

Du café du matin à la tisane du soir, notre équipe de « sherpas » veillait à ce que tout soit toujours parfait pour nous. Chaque jour, ils nous dépassaient vers 11 heures pour aller nous préparer notre repas du midi. Ensuite, nous assistions à nouveau au spectacle de les voir nous dépasser vers 15 heures. Ils se précipitaient de nouveau en direction de la prochaine halte, afin d'y déployer les tentes, d'y préparer nos repas du soir en prévision de la nuit qui venait.

En me replongeant dans ce souvenir, je suis encore impressionné de l'image que j'en garde et qui défile dans mon esprit. Je revois le visage de ces hommes, je les revois tous nous dépasser. Je me souviens comme si c'était hier de les entendre au loin derrière. Ils chantaient tout au long de leur ascension des chansons à répondre. Nous les entendions gagner du terrain, pour ensuite nous dépasser affichant leurs plus beaux sourires, plus magiques les uns des autres. Des sourires qui racontaient à eux seuls leurs expériences d'escalades acquises. Pour eux, l'ascension semblait si facile !

Ils étaient chaussés de vieilles espadrilles trouées, portaient de gigantesques sacs à dos contenant les tentes, les glacières pour notre nourriture, etc. Certains transportaient même des chaudières d'eau sur la tête. Arrivez-vous à imaginer ? Transporter de l'eau pour quarante grimpeurs en pleine ascension du Kilimandjaro, que ce soit pour la cuisson des aliments ou pour que nous puissions nous laver et nous hydrater. Incroyable !

Ces hommes travaillaient si fort et si durement et dans des conditions extrêmement exigeantes. Ils n'étaient pas nécessairement les mieux chaussés ou les mieux équipés pour faire cette spectaculaire ascension, mais ils le faisaient avec beaucoup de plaisir et un sourire ayant le pouvoir de réconforter les cœurs et les individus les plus découragés ou démotivés.

Le bonheur, c'est le chemin

La dernière journée d'ascension fut très pénible pour moi. J'ai été aux prises avec une grosse contraction, le genre de contraction qui t'amène à croire que tu es foutu et que tu n'arriveras pas à te rendre au bout de ton rêve.

J'avais conscience que je ralentissais le groupe car je devais constamment m'arrêter pour me coucher. En fait non, me coucher n'est pas la bonne expression. Je devrais plutôt utiliser celle-ci : me jeter littéralement par terre. Mon corps était totalement épuisé. J'étais épuisé et tendu. Je n'ai jamais revécu une telle sensation par la suite. C'est comme si les muscles lombaires de mon dos étaient aussi tendus qu'un fil d'acier et qu'ils ne voulaient plus se relâcher. C'était le stress qui se manifestait dans mon corps de cette façon ! J'avais l'impression que la douleur prenait toute la place. Je ne pensais qu'à ça. Je me sentais plus raide, plus tendu physiquement et cette condition m'affectait aussi moralement.

Mon groupe avait hâte d'atteindre le sommet, mais moi je m'en sentais incapable vu ma souffrance physique. Pourtant durant l'ascension, c'est-à-dire les six jours précédents, je n'avais ressenti aucune faiblesse ou autre signe précurseur, sauf si ce n'était de la difficulté de m'endormir la nuit précédente que j'attribuais alors aux effets secondaires que peut avoir l'altitude sur certaines personnes.

Un guide décida donc de séparer le groupe en deux. Un groupe de neuf personnes accompagnées d'un guide, et un second groupe se constituant d'une seule personne et d'un guide. Devinez dans quel groupe on m'avait situé ?

Nous étions, moi et mon guide, à approximativement quatre cents mètres de marche du sommet. La pente était vraiment très abrupte sur les derniers mètres à escalader. Je n'y arrivais pas. Je m'écroulais à tous les cinq à six pas. J'étais incapable d'en faire plus. J'arrivais à entrevoir mes partenaires de voyage qui étaient sur le point de contempler les énormes glaciers tout au haut de l'une des plus hautes montagne de la planète, et ainsi arriver enfin à toucher de leurs dix doigts le gros écriteau en bois sur lequel on pourrait lire de nos propres yeux : Kilimandjaro, 5 895 mètres.

Mon orgueil était mal en point. Il en mangeait toute une. Je n'arrivais pas à comprendre ce qui se passait avec ma machine.

Je criais à l'injustice : Pourquoi moi ? Pourquoi maintenant ? Pourrrrrrquoi ? Vous savez... ce même « feeling » que l'on ressent lorsqu'on va faire du Go Kart avec nos amis et qu'on tombe sur cette machine qui ne fonctionne pas bien, celle qui n'avance pas vite, qui ne fonctionne pas bien, qu'on « pogne » un citron ? Mais cette sensation cette fois-ci, c'était moi qui la représentait, qui l'incarnait. J'avais l'impression d'être un citron, mon corps et mon mental ne répondaient plus. J'étais pourtant à un cheveu de réaliser le plus grand rêve de ma vie.

Je souffrais tellement physiquement et psychologiquement en même temps, que c'était difficile à comprendre. Aujourd'hui, je suis en mesure de comprendre que c'était plutôt une souffrance psychologique qui se manifestait. Par contre à ce moment, je n'avais pas vraiment de maîtrise de moi et aucune capacité de gestion sur mon énergie.

C'est alors que mon guide prit mon sac à dos et le plaça sur son torse étant donné qu'il avait déjà un énorme sac sur son dos. Il me tira doucement par le bras et me dit à ce moment :

« *Polé polé*. » Ce qui veut dire en français, **un pas à la fois**.

« *Polé polé Monsieur François, polé polé Monsieur François* » me répétait-il !

Je faisais dix pas et je tombais soit à genoux ou je m'étalais de tout mon long. C'était comme si le rêve le plus cher à mes yeux, en plein au moment où je le réalisais, ne faisait plus aucun sens, je n'avais plus aucune volonté. J'étais tellement découragé !

Je dis alors à mon guide :

« Je n'ai plus d'énergie, je ne suis plus capable de continuer. »

Et il me répondit :

« L'énergie est toujours là, Monsieur François. Il suffit de demander et d'avancer. *Polé polé Monsieur François. Polé polé.* »

Et il me tira de plus belle par le bras pour m'aider à faire une autre série de pas.

J'arrivai finalement au sommet du Kilimandjaro, 40 minutes après tout le monde. C'était tellement majestueux, il n'y avait aucun doute. Enfin, je réalisais le rêve d'une vie. J'avais escaladé le Kilimandjaro et j'eus le privilège de me faire prendre en photo à côté de ce fameux panneau de bois planté au cœur même du sommet de cet ancien volcan.

J'ai eu toute une prise de conscience à cet instant précis. Tous ces efforts pour ça ; que pour ça ? Tous ces jours d'escalade pour finalement en retirer le bénéfice suivant ? Savourer vingt longues minutes au sommet du Kilimandjaro, à côté d'un panneau de bois ? Mais qu'est-ce qu'il y avait ici de si extraordinaire que je n'arrivais pas à voir ? Rien ! C'était juste ça !

Mon guide vint alors me voir pour me serrer dans ses bras, affichant son plus beau sourire avec de parfaites dents imparfaites et pas très blanches, un sourire attachant rempli de beaucoup d'amour et de bienveillance. Et il me dit :

« Vous êtes heureux, Monsieur François ? »

Je répondis avec beaucoup d'hésitation :

« Euhh Ouuuuuiii ?!? »

Comme si je me donnais le droit de garder en réserve un petit *mais* derrière mon oui. Un mais lourd de déceptions. Mon guide était très perceptif et le sentit d'emblée.

Il s'appelait Alassane. C'était un ange déguisé... en guide.

Alassane, qui même dans mes souffrances les plus intenses arrivait toujours à m'apaiser grâce à son magnifique sourire et son ton bienveillant, me dit alors : « Monsieur François, le bonheur ce n'est pas d'être tout là-haut ; le bonheur, c'est le chemin. »

Une fois de plus, son sourire est venu me toucher droit au cœur. C'est comme si dans toute la simplicité de sa présence, dans sa totale humilité, il était arrivé à me faire oublier mes propres souffrances avec cette courte mais tellement belle phrase honorant tout l'amour du monde qu'il portait en lui.

« Le bonheur ce n'est pas d'être en haut ;
le bonheur, c'est le chemin. »

À la recherche du manque

Dans la société actuelle, la plupart d'entre nous avons cette tendance à idéaliser les gens que l'on voit à l'avant. Les gens connus à la télévision, les vedettes de cinéma, les athlètes professionnels, les entrepreneurs à succès, car ce sont ceux et celles qui semblent réaliser leurs vies de rêve. Nous avons tendance à les imaginer comme s'ils étaient au top de la montagne. Et pourtant...

Aujourd'hui, il m'arrive souvent de côtoyer des gens qui semblent être au sommet. Certains de mes fans me voient moi-même au sommet avec tout le succès que j'obtiens depuis les dernières années. Ça m'est arrivé tout récemment de me faire dire par une personne : « See you at the top ». On se voit au sommet, je m'en viens.

J'avoue que ce genre de discours me fait bien sourire. Je ne peux aujourd'hui qu'automatiquement faire référence à mon expérience du Kilimandjaro.

Le bonheur, ce n'est pas d'être en haut, le bonheur, c'est le chemin. Et c'est tellement vrai.

Combien de gens semblent être au sommet. Mais en réalité, ils sont profondément tristes, pris dans les apparences trompeuses d'une image faussée enfermée à double tour dans une cage dorée. Combien croyez-vous qu'il y ait de gens qui se sentent seuls au sommet ? Beaucoup plus que vous ne pourriez le croire ! Je vous assure.

Ces gens vivent également des hauts et des bas ! Ils ont leurs propres moments chargés de résistances et de souffrances. Et pour se retrouver là où ils sont aujourd'hui, ils sont assurément passés par une multitude de contractions et d'expansions au cours de la recherche de leurs idéaux de vie, du bonheur et de l'équilibre.

Si vous pensez pouvoir être heureux uniquement lorsque vous serez rendus au sommet, lorsque vous aurez rencontré ce nouveau conjoint ou cette nouvelle conjointe, cette belle et grande maison, ce nouveau travail que vous souhaitez obtenir depuis longtemps, ou encore quand vous ferez plus d'argent, beaucoup plus d'argent, alors sachez que vous faites fausse route. De cette façon, vous ne trouverez jamais le bonheur véritable.

Trop souvent on est à la recherche de ce qui nous manque dans la vie, de ce qui nous fait défaut. On en vient à développer un conditionnement très *vicieux*. Pourquoi ? Parce que nous sommes des êtres qui fonctionnons par défaut. Oui, nous répétons des « méta conditionnements ». C'est-à-dire au-delà de toutes croyances, nous développons une façon d'être, de voir et de penser machinale. Tellement que l'on en vient à ne même plus voir.

Souvent, ces conditionnements, ces « patterns », sont ceux de porter notre attention sur ce que l'on croit nous manquer pour être heureux. Mais en réalité, même si vous cherchez l'amour et qu'il vous manque en ce moment, même si vous cherchez l'argent et qu'il vous manque en ce moment ou encore si vous cherchez à posséder une plus belle voiture ou une plus belle et grande maison, vous mettez votre attention sur ce qui n'existe pas et vous activez votre potentiel de création dans ce sens.

Vous vibrez le manque, et vous attirerez exactement à vous ce qui fait résonance à ce que vous pensez et ce, à chaque instant.

C'est une grande vérité universelle d'attraction et de causes à effets. Ce n'est pas de la pensée magique. Mais pour bien comprendre ce principe, il importe d'éveiller votre niveau de conscience. Car sinon, vous créerez votre vie par défaut.

Mais non seulement ça, même si vous trouvez un jour l'amour, la grosse maison et l'argent, le fonctionnement vicieux sera toujours là, bien en place. Vous chercherez toujours ce qui manque. C'est ce qu'on appelle un « méta conditionnement » de notre esprit, un esprit non maîtrisé qui fonctionne malheureusement par défaut.

Est-ce vraiment comme ça que vous voulez fonctionner ? Avez-vous tendance à ne voir que ce qui vous manque dans la vie ? À juger votre qualité de vie selon ce qui vous manque et vous comparer en plus avec les autres ? Si oui, c'est une zone très dangereuse et il faut vous méfier de cette zone car elle en vient à étouffer notre véritable potentiel de pleine réalisation.

« L'esprit est difficile à maîtriser et instable. Il court où il le veut.
Il est bon de le dominer.
L'esprit dompté assure le bonheur. » - Bouddha

Et si vous recherchez toujours ce qui vous manque, votre corps, votre mental et vos cellules ne peuvent pas être heureux, car tout est cause à effet. Vous devez bien comprendre ceci : Ce sur quoi je place mon attention prend de l'expansion et se transforme en sensations, en émotions et devient donc en vibrations, ce qui forme ma signature énergétique que je porte à chaque instant. Tout ce processus inconscient de l'esprit humain est cause à effet et se passe en une fraction de seconde. C'est pourquoi il est si important d'apprendre à maîtriser notre esprit, en commençant par nos pensées, notre discours intérieur et nos actions. Et cela est possible, un pas à la fois.

Accepter les contractions

Pourquoi je sais que c'est possible ? Parce que j'étais comme je le décris un peu plus haut. Je cherchais constamment ce qui me manquait dans la vie pour être heureux. Encore pire, je ne cessais de me dire que j'étais très, très proche. Il ne me manquait que ça et ensuite ce serait parfait !!

Oui, oui, je me disais : j'ai maintenant l'amour, j'ai trouvé le bon travail, je vibre, il ne me reste plus qu'à faire de l'argent et euréka, le tour sera joué ! Mais encore là, j'ignorais bien des choses.

Au moment d'écrire ces lignes, je me réalise pleinement. Je suis sur mon « X ». J'ai le travail parfait, je fais maintenant beaucoup d'argent. Les gens m'aiment ! Je suis très en demande partout dans le monde pour différents contrats, conférences et formations. J'ai la petite famille qui semble parfaite et je vous écris même du bord de la mer au Mexique, en ce moment. Oui, oui je vis ma vie de rêve.

Mais pour être honnête, il y a aussi beaucoup de contractions et résistances à travers cette vie de rêve. Je travaille beaucoup. L'expansion rapide de mon entreprise fait en sorte que j'ai l'impression d'être constamment en construction. Nous sommes maintenant une équipe comportant huit personnes et même si ces personnes sont géniales, ça me demande d'investir beaucoup de mon temps. Je n'ai en ce moment pas beaucoup de liberté et pourtant, c'est ma principale et première valeur.

Je vous ai aussi mentionné que je fais beaucoup d'argent en ce moment, mais les dépenses sont aussi associées à ce rythme de vie et à mes projets d'envergure.

Dans les derniers mois avant de sortir ce livre, j'ai aussi fait le lancement du livre pour enfants ***Reconnecte avec TOI***, que j'ai co-créé avec mon amie Martine Cédilotte, une illustratrice unique en son genre. Ce livre est maintenant dans plusieurs écoles et familles au travers la francophonie mondiale. Nous avons aussi procédé au lancement du magazine Inspire-toi ! Et ce, sans compter tous mes programmes, formations, retraites de pleine conscience, conférences et le mouvement Inspire-toi. C'est beau de vous dire ça, n'est-ce pas ? Ça paraît bien ! Wow, François Lemay a une vie de rêve !

Mais il y a toujours deux côtés à une médaille. L'autre côté de la médaille, c'est que ma petite famille écope et subit beaucoup de cette grande expansion en ce moment. Principalement par mon manque de présence et le peu d'attention que j'arrive à leur donner. Mes enfants ont vu leur papa branché sur son ordinateur la plupart du temps dans la dernière année, à écrire, développer, planifier et gérer l'entreprise. Les moments amoureux se font de plus en plus rares, ce qui affecte aussi ma vie de couple, sans compter moi avec moi-même. J'aurais parfois besoin de me retrouver seul sur une île complètement déserte. Je travaille tard le soir et souvent la nuit et quand je suis fatigué je m'alimente très mal. Donc je me suis retrouvé avec un surplus de 30 livres autour de la taille. Ce qui fait que j'y ai peut-être beaucoup gagné au succès, mais je suis pas mal moins beau que j'étais tout nu, devant le miroir ! (photo à l'appui page 157)

Mais tout est toujours parfait, là aussi. *It's a process.*

En réalité, vu de l'extérieur, tout paraît tellement parfait aux yeux des gens. Réfléchissez-y, c'est le cas pour moi comme pour tout le monde aussi. Nous sommes tous humains. Vous, moi, c'est-à-dire, en mouvement permanent et soumis aux cycles du changement, de l'expansion, des contractions. C'est la vie qui se manifeste ainsi !

Mais pourquoi je vous raconte ma vie ? Premièrement, parce que le fait de me livrer à vous m'en coûte bien moins que de consulter un psy ! Mais non, je blague ! Tout simplement parce que j'aimerais vous faire comprendre que l'équilibre que l'on recherche tous, n'existe pas !

Vous avez bien lu, l'équilibre **n'existe pas.**

Les hauts et les bas, comme les expansions et les contractions, tout est toujours parfait, à chaque instant de notre vie et surtout dans ce grand plan. *It's a process !*

Est-ce que je veux garder ce style de vie constamment et travailler presque toujours comme je le fais depuis des mois ? La réponse est non, assurément ! Mais comme pour la construction d'une maison, cela demande une grande charge d'énergie, d'attention et de temps au départ et pendant le processus.

C'est comme sauter sur un trampoline, avant d'atteindre un haut point de vol, la contraction est primordiale. La vie fonctionne ainsi. Comme la naissance d'un enfant ou encore comme apprendre à marcher. La contraction est nécessaire à toute expansion. Ce cycle que je vis actuellement au moment d'écrire ces lignes, fait partie de mon processus de pleine réalisation. Je le fais en pleine conscience, j'accepte et je l'accueille du mieux que je peux. Tout en sachant que l'équilibre n'existe pas en réalité. Mais en même temps, il est dans tout.

L'équilibre n'existe pas, mais il est en tout à la fois. Le grand plan est toujours en équilibre. Il est conçu ainsi, il est parfait ! Mais dans notre perception de ce qui est, nous n'avons jamais l'impression d'être en équilibre. C'est normal, parce que tout change. Le changement est une des plus grandes vérités.

C'est impossible de toujours être en équilibre de la manière dont nous percevons l'équilibre. Mais en même temps, nous le sommes aussi toujours, c'est paradoxal. Nous sommes toujours en équilibre dans ce grand plan, dans ce grand jeu de la vie.

C'est comme lorsque nous étions un petit bébé de douze mois. Quand nous avons appris à marcher, nous n'étions pas en parfait équilibre. Souvent nous tombions par terre et parfois même, très durement. Et pourtant, dans ce grand cycle d'apprentissage et de compréhension qu'est apprendre à marcher, l'équilibre est présent. Expansions, contractions, c'est ça la vie. Mais nous, à ce moment précis, on ne se disait pas :

« Je ne suis pas en équilibre, ma vie est foutue ! »

Non, on se disait :

« Je vais l'avoir ! Je vais arriver à faire comme papa et maman ! C'est possible et je vais le faire. *Polé polé*, un pas à la fois. »

Nous voulions marcher, mais dans notre grande sagesse du haut de nos douze mois, nous acceptions de tomber.

Parfois je me pose cette question. Cette peur qui nous paralyse, provient-elle de la possibilité de tomber et de nous faire mal en cours d'apprentissage ? Sommes-nous prêts à risquer de tomber pour apprendre quelque chose de nouveau et accéder à la vie de vos rêves ?

Je crois qu'aujourd'hui la plupart des gens se basent sur leurs expériences du passé de leurs souffrances et sont contrôlés par leurs peurs et leurs insécurités. Et si toutes ces expériences avaient leurs raisons d'être ? Et si le cycle d'apprentissage n'était pas terminé ?

En fait, il n'est jamais terminé. Les contractions sont inévitables dans ce grand jeu qu'est la vie.

Osez les utiliser comme des tremplins comme quand vous étiez jeune. Pensez à un saut en trampoline et ouvrez-vous à l'expansion qui suivra.

Modélisons la nature

Même si vous êtes du type à vous coucher tôt, vous lever dès 5 heures le matin pour faire votre méditation, vos étirements de yoga, boire votre jus vert, écrire vos affirmations, exprimer toute votre gratitude envers la vie, implorer le Seigneur ou même si vous faites brûler de l'encens et partez courir votre 10 km, vous ne serez pas plus en équilibre de manière permanente, c'est juste impossible !

Il y aura assurément un bienfait, car vous mettrez votre attention sur ce qui vous fait du bien et cette cause à effet se manifestera dans votre corps, votre cœur, votre tête et votre vie.

Si vous appliquez une telle routine quotidienne, bravo, toutes mes félicitations. Ça demande une belle volonté et discipline une telle application de ce style de vie dans notre quotidien. Continuez, et soyez conscients et éveillez-vous à la possibilité qu'en réalité, vous serez aussi soumis aux mêmes grandes lois que tous les autres êtres humains. Tout change, tout !

L'équilibre permanent, nous l'obtiendrons une fois arrivés au bout de notre grand et long voyage, c'est-à-dire sur notre lit de mort lorsque le moniteur cardiaque fera biiiiiiiiiiippp. Une belle ligne droite qui voudra tout simplement confirmer qu'il n'y aura plus aucun signe de vie en nous. Mais entretemps, la vie sera faite de cycles comportant des expansions et des contractions, des expansions et des contractions, des expansions et des contractions et ce, jusqu'à la fin de nos jours.

Aussi bien activer notre intelligence infinie et éveiller notre conscience tout en apprenant à « surfer » sur les vagues et les cycles de la vie. Ils changeront jusqu'à la fin de nos jours.

La nature nous l'enseigne si bien pourtant. Apprenons à bien observer et apprendre de cette grande enseignante. Tout est déjà là.

La vie est faite d'expansions et de contractions. On appelle cela les cycles de la vie. Notre problème à nous, c'est que nous n'aimons pas vivre des contractions. On aimerait que tout soit toujours beau, toujours joli, toujours facile, toujours paisible, que tout soit toujours parfait et sans résistance, que notre vie ne soit toujours que le grand bonheur absolu.

Mais en réalité, ce serait contre nature. Le soleil se lève, le soleil se couche, la lune se lève, la lune se couche. Ainsi vont les cycles de la vie. La nature est conçue avec des cycles car elle est portée par une énergie plus grande, soit celle du mouvement et du changement. Tout change constamment. On ne peut pas être en dehors de ce grand système universel.

S'il y a une grande vérité, c'est bien celle du changement. Le changement est permanent. On appelle ça, la loi de l'impermanence. Rien d'autre que le changement n'est permanent, tout le reste dans ce monde est en constante évolution, en constante transformation. Tout change, tout.

Même vous, votre vie, vos projets, vos décisions, vos idées, votre estime et votre équilibre changent et changeront encore et encore, et ce sans que vous n'y puissiez rien y faire, et ce même si vous buvez votre jus vert !

Les cycles sont partout et dans tout.

Imaginez la vague qui vient sur le bord de la plage. Psch... psch... expansion, contraction, expansion, contraction. La mer revient sur elle-même ! Elle remonte et revient vers la rive de la plage, dans un processus sans fin. C'est expansion après contraction.

Prenons aussi l'exemple des cycles de la respiration. Les inspirations sont pareilles à l'expansion et les expirations, aux contractions. Est-ce que vos inspirations et expirations cessent ? Non, elles se suivent et se répètent les unes après les autres. Sans l'expiration, la respiration ne serait pas possible. On doit expirer et vider le contenu de nos poumons si nous voulons arriver à inspirer par la suite. Il est impossible d'ouvrir nos poumons à plein régime par l'inspiration (l'expansion) sans les avoir au préalable vidés par l'expiration (la contraction). Plus grande est l'expiration, plus grande est la capacité d'inspirer.

Même chose à l'inverse et avec la vie. Plus grande est la contraction, s'ensuivra une plus grande expansion. C'est une fois de plus l'œuvre de la cause à effet. Ayez à l'esprit l'image de la vague, du trampoline ou encore de l'accouchement. La contraction est toujours suivie de son équivalent en expansion.

Alors si vous êtes en ce moment dans une grande contraction, dites-vous bien que cela aussi changera, vous êtes seulement dans une partie d'un cycle de votre vie. Après chaque contraction vient son équivalent en expansion. Seulement et seulement si vous déballez le tout en pleine conscience.

Sinon, ce sera une résistance à ce qui est, et la contraction durera une fois de plus à cause d'une autre loi universelle. Ce à quoi je résiste, persiste. C'est une fois de plus la cause à effet, elle est partout et en tout.

Ce à quoi je résiste, persiste.

Nous sommes même nés dans la plus grande contraction qui soit lors de l'accouchement. Et pourtant, après avoir vécu cette contraction extrêmement douloureuse, on oublie très rapidement la souffrance. Pourquoi ?

Chaque contraction amène son équivalent en expansion. Seulement si c'est déballé en pleine conscience.

Prenons par exemple une fois de plus la nature. Au printemps, les bourgeons sortent et ensuite viennent les feuilles en abondance. Elles deviennent alors d'un vert d'une beauté incroyable ! Quelques mois plus tard, soit au mois d'octobre, la nature commence à changer de couleur et les feuilles finissent par tomber au sol. L'arbre ne contient alors plus de feuilles à la mi-novembre. La température chute ensuite et l'hiver vient. Tout change. Mais au travers de cela, il y a eu le cycle du printemps/été/automne/hiver. Il y a eu un beau soleil, de belles journées dégagées, plusieurs tempêtes et journées sombres.

On appelle ça la vie, tout est changement.

Croyez-vous que l'arbre ait résisté à la perte de ces feuilles ? Croyez-vous que la nature se soit dit :

« Ha nonnnnnnn ! Il va faire froid bientôt et je vais perdre mes belles couleurs et les autres arbres seront plus beaux que moi » ?

Croyez-vous que la nature soit tombée dans une grosse crise d'anxiété, qu'elle ait cherché à contrôler la perte parce qu'elle n'aimait pas ce qu'elle voyait ?

Je ne crois pas ! L'arbre accepte le processus. L'arbre sait qu'il fait partie intégrante de la nature et que tout a son sens dans ce grand plan. Il sait que tout est toujours parfait. Il accueille ce qui est et laisse la nature faire son œuvre à travers lui. Je crois même avoir entendu lors d'une marche en forêt à l'automne dernier un arbre murmurer :

« *It's ok, it's a process.* »

L'arbre sait profondément que c'est dans sa propre nature de revenir en pleine expansion après la contraction ! C'est la vie, comme le jour après la nuit. La nature est parfaitement en équilibre même lors des plus grosses tempêtes, les ouragans et/ou les inondations. La nature laisse la vie couler à travers elle. Elle est la vie, tout comme nous le sommes.

Et si nous apprenions une fois de plus à modéliser la nature. C'est exactement ce que les grands sages sont venus nous livrer comme enseignements et messages.

Apprenons à « surfer » sur le changement ! Accueillons les cycles de la vie ! Acceptons que les périodes de contractions aient leur raison d'être tout comme nous acceptons les périodes de pleine expansion, et laissons la nature faire son œuvre à travers nous.

L'équilibre est partout à chaque instant. Cherchons plutôt à vivre en cohérence avec la nature, avec nos valeurs et avec nos convictions les plus profondes. Accueillons nos intuitions et suivons nos guidances. Apprenons à accueillir ces moments de contractions afin de se libérer de nos résistances qui coupent le flot de la vie qui cherche à circuler en nous.

Pour arriver à vivre ainsi comme les grands sages ont essayé de nous l'enseigner depuis des milliers et des milliers d'années, il est d'une importance capitale d'apprendre à reprendre la maîtrise de notre esprit, d'apprendre à éveiller le maître intérieur en nous et ce, afin d'activer notre plein pouvoir créateur.

C'est pourquoi, dans le prochain chapitre, je vais vous partager des clés essentielles à développer afin que vous puissiez arriver à vivre en pleine conscience et accueillir toute l'abondance et la beauté que la vie a à mettre dans votre assiette.

Parce que vous faites partie intégrante de la nature, que vous êtes soumis aux mêmes vérités et surtout parce que vous méritez ce qu'il y a de meilleur dans la vie, point final !

Rappelez-vous, l'équilibre n'existe pas, mais elle est en tout à chaque instant.

Peu importe ce que vous faites comme expérience dans votre vie en ce moment, croyez-moi, tout est toujours parfait.

Le chemin de la reconnexion

CHAPITRE 7

Le chemin de la reconnexion

« Corrige ton esprit et ta vie se placera d'elle-même. Cela n'est pas facile à enseigner, on ne peut qu'en faire l'expérience. »
- Lao Tseu

L'univers conspire pour nous à chaque instant !

Je me rends compte aujourd'hui de l'endroit où je me situe dans mon parcours de vie, que l'univers tout entier conspire à chaque instant pour nous ramener vers le chemin de la reconnexion et nous mettre en route pour devenir qui nous sommes réellement.

À travers les résistances et les multiples expériences que nous sommes appelés à vivre, elle nous suggère de laisser tomber les masques, de se choisir et de prendre notre place en ne craignant plus d'accepter ce qui est mais en le considérant comme porteur d'un cadeau inestimable, parfois même un tremplin.

Pourquoi je dis cela ?

Parce que même si parfois, on ne comprend pas tous les messages de la vie, c'est *ok* et ce sera toujours *ok*. Personne ne met ni ne mettra de pression. Il sera toujours possible de vivre sans se choisir dans la vie, en portant des masques et en restant solidement cachés dans notre carapace.

Lorsqu'on opte pour cette option, les enseignements se représenteront à nouveau dans notre vie, déguisés cette fois sous une autre forme. Mais encore là, lorsque les événements se répéteront, nous aurons toujours la possibilité d'accueillir ce qui est et de choisir ce que nous décidons d'en faire à ce moment-là.

Ne pas se choisir et porter des masques nous placera cependant toujours dans une vie remplie de résistances, de manque et de sentiment de survie. En fait, ce sera l'opposé de ce sentiment tant recherché de pleine réalisation de qui vous êtes.

C'est pourquoi il importe alors de s'éveiller à la pleine conscience. De développer l'approfondissement intérieur par une vigilance d'esprit, un sens de l'observation de soi ainsi que de ses conditionnements afin de pouvoir agir en cohérence avec son idéal de vie.

Mais le faisons-nous vraiment ? Faites-vous les choses pour être aimé et apprécié de tous, ou parce que vous le souhaitez profondément ? Êtes-vous en mesure de vivre avec le sentiment de peut-être décevoir quelqu'un ? Avez-vous mis vos propres rêves de côté pour répondre aux demandes des autres ?

Si oui, c'est *ok*. Tout change !

Mais comprenez bien que ce n'est pas la faute des autres si vous laissez vos propres rêves de côté, ou encore si vous ne prenez pas votre place. C'est seulement à vous que doit revenir la pleine responsabilité de vous réaliser et à personnes d'autre. Gardez à l'esprit que peu importe les décisions que vous allez prendre au cours de votre vie, vous allez toujours finir par décevoir quelqu'un de toute façon. Ne croyez-vous pas que vous êtes aussi bien de risquer de décevoir les autres temporairement parce que vous aurez décidé de vous choisir, plutôt que de vivre avec la peur de décevoir ?

Appréhender la souffrance pour autrui, c'est les empêcher éventuellement de se libérer de ce qui les aurait aidés à se réaliser pleinement. Comme le bébé qui apprend à marcher. Si vous le gardez toujours dans vos bras pour ne pas qu'il tombe, il n'arrivera jamais à marcher.

Les périodes de contractions sont essentielles. Les résistances sont inévitables, les souffrances agissent comme des tremplins vers le don miraculeux de la transformation personnelle.

Après avoir fait des milliers d'heures de formation en développement personnel, après avoir pratiqué des milliers d'heures de méditation et avoir accompagné des milliers de personnes à se réaliser pleinement lors de coaching et de séminaires, j'ai cerné en détail le rôle formidablement puissant de l'acceptation et l'art d'accueillir ce qui est. Je peux vous affirmer que tout a sa raison d'être dans ce processus de pleine réalisation.

Oui, tout a sa raison d'être dans ce grand plan. Tout est toujours parfait !

Au fil du temps, j'ai littéralement assisté à la transformation de la vie de plusieurs personnes qui passaient par le processus de la transformation. En adoptant de nouvelles manières d'agir au quotidien, certains y ont même vu de la magie dans le fait de commencer à vivre autrement et en pleine conscience. Moi le premier !

J'ai personnellement transformé ma vie de manière spectaculaire et je vous assure qu'il y a beaucoup de magie dans ce grand jeu qu'est la vie si on s'ouvre à cette possibilité de se reconnecter avec notre véritable nature.

J'ai choisi d'activer la maîtrise créatrice et délibérée de ma propre expérience de vie. Je vous assure que ce n'est pas des techniques miracles de nouvelles générations. Non au contraire, c'est aussi simple que de reconnecter avec qui nous sommes vraiment, apprendre à surfer sur le flot des vagues de la vie, apprendre à demander guidance à une énergie plus grande que nous, suivre tout simplement notre intuition, qui n'est pas un don réservé à quelques-uns, mais une faculté réelle et naturelle à chacun. Accepter le processus de création comprenant des expansions comme des contractions, co-créer avec les autres et se laisser émerveiller par ce que la vie nous offrira ensuite au quotidien.

Mais est-ce que cette méthode que j'enseigne est infaillible ?

Mais bien sûr que non et c'est primordial de comprendre ce point. L'art de vivre ne s'apprend pas dans la connaissance ni la lecture d'un livre, mais plutôt en apprenant à lire la vie et à ne faire qu'un avec celle-ci. En gros, d'accueillir ce qu'elle met dans notre assiette et ensuite l'influencer avec votre pouvoir de création.

Le changement a une seule vitesse

Il y a quelques années de ça, j'étais de ceux et celles qui étaient habités de beaucoup d'impatience. Je trouvais que mes affaires n'avançaient pas à la vitesse que j'aurais aimé observer. J'en voulais au monde entier, à la vie. Pourtant, je travaillais fort, je visualisais, je méditais, mais je n'obtenais aucun résultat vers ce à quoi j'aspirais.

Les formations que j'offrais n'avaient que très peu de participants et ma pratique de coaching n'était pas très abondante. Pourtant j'avais cette impression de pouvoir réellement aider beaucoup de gens, mais je croyais que la vie ne me soutenait pas en ce sens.

J'étais très fâché, souvent découragé et parfois même colérique. J'en voulais à la vie.

Ça m'a pris une bonne période de temps avant de pouvoir libérer ce mauvais conditionnement de mon esprit. Je n'arrivais pas à voir que je le portais, donc je l'ignorais et surtout je résistais à ce que je faisais comme expérience. Aujourd'hui je suis très patient, plus posé et je ne suis plus du tout colérique.

La colère provient de l'effet de plusieurs causes réprimées qu'on cherche à contrôler au lieu d'accueillir, combinée à une faible image ou estime de soi. Mais c'est possible de s'en libérer ! J'y suis arrivé. *It's a process*. Tout avait sa raison d'être.

Si seulement vous pouviez comprendre que le véritable art de vivre nous est enseigné par la nature. La graine n'a pas d'urgence à devenir fleur. Le gland prend le temps qu'il doit prendre pour devenir un arbre. Un bébé humain prend en moyenne neuf mois avant de venir au monde. C'est le temps de gestation nécessaire, tout comme la semence avant de sortir de terre, ou les bourgeons avant d'éclore au printemps.

L'analogie du bambou chinois illustre bien l'enseignement de la nature. Lorsqu'on sème une graine de bambou chinois dans un terrain propice, il faut s'armer de patience. En effet, la première année, il ne se passe rien, aucune tige ne va sortir du sol, pas la moindre pousse. La deuxième année, non plus. La troisième ? Pas davantage. La quatrième, alors ?... Rien ! Ce n'est que la cinquième année que le bambou pointe enfin le bout de sa tige hors de terre. Mais il va alors pousser de douze mètres en une seule année ! Que s'est-il passé ?

La raison est simple. Pendant cinq ans, alors que rien ne se produit en surface, le bambou développe de prodigieuses racines dans le sol grâce auxquelles, le moment venu, il est en mesure de grandir très rapidement.

Le bambou chinois nous enseigne plusieurs choses importantes. D'abord, il nous montre que ce n'est pas parce que nous ne voyons rien qu'il ne se passe rien. Ensuite, il indique que certains changements brusques ou parfois instantanés peuvent être le résultat d'une lente évolution qui, elle, ne nous est pas perceptible.

Le changement a une seule vitesse. Il est, tout simplement. De plus, il est porteur d'un cadeau inestimable. On ne peut pas le contrôler. C'est lorsqu'on s'entête à vouloir le contrôler que les problèmes apparaissent. C'est alors notre ego qui est en action.

Lorsque nous résistons, soit par impatience ou par désir de contrôler, nous fonctionnons alors contre nature et c'est alors comme si nous nagions dans le sens contraire du courant de la vie. Dans ce temps-là, nous résistons à ce qui est. Nous transformons alors ce grand plan en ennemi au lieu de le laisser être notre meilleur allié.

De mon côté, j'ai un partenaire de vie à tous les niveaux. C'est la nature, l'Univers ou Dieu. Appelez-le comme vous le désirez. J'ai compris que mon rôle est de fonctionner en co-création avec ce grand partenaire, en parfaite communion. Je me dois, si je veux me réaliser pleinement, d'activer ma conscience et mon intelligence. Je me dois également de commencer à vivre en cohérence avec ces grandes vérités universelles et apprendre à connecter mon monde intérieur à mon monde extérieur.

Quand la nature m'enseigne la sagesse en plaçant une expérience de vie dans mon assiette, je me dois d'accueillir du mieux que je peux cette résistance, avec la ferme intention d'exploiter le plein potentiel de celle-ci pour ensuite y déballer en pleine conscience la récompense qui s'ensuit.

Je sais avec une foi immuable, une grande confiance au grand plan, que ce que je vis à chaque instant a sa raison d'être dans le grand plan pour me permettre de progresser vers mon idéal de vie.

It's a process, tout est toujours parfait. Essayons de voir au-delà des apparences !

L'acceptation est une des clés qui a le plus influencé mon cheminement et la pleine expansion de mon potentiel créateur. Chaque projet, comme ce livre par exemple, est conçu en pleine conscience, en cohérence avec qui je suis et en cohérence avec ce grand plan. Je n'ai tout simplement qu'à accepter ce qui coule en ce moment, dans ma vie. Je fais confiance que ce qui doit être sera.

Je suis porté par l'inspiration d'écrire ce livre. Je n'ai pas de notes avec moi, je n'ai pas de livre ouvert à côté de mon ordinateur. J'aurais procédé de cette façon il y a quelques années, mais plus maintenant. Je suis tout simplement avec ce qui est, ce qui coule, ici et maintenant. Je demande guidance, et je me laisse inspirer à chaque instant par des histoires qui émergent et qui me poussent à vous partager en toute humilité et simplicité.

Est-ce que ce livre sera parfait ? Je n'en sais rien, mais assurément parfait dans son imperfection. Mais j'ai choisi de m'abandonner à ce jeu auquel j'ai une foi illimitée maintenant.

Par moments je suis très inspiré, et à d'autres moments, moins. J'accueille ce qui est. Il arrive qu'un petit stress se pointe le bout du nez de temps en temps, qu'un doute émerge, c'est *ok* ! Je le reconnais, je l'accepte, je me fie à mon intuition et je la développe. Je comprends intuitivement mes sensations pour fortifier la connexion de mon corps avec mon esprit.

Est-ce que je fais la bonne chose ? Est-ce que j'écris de la bonne manière ? Est-ce que je vais arriver à écrire le livre sans perdre mes lecteurs ? Le doute s'incruste par moments et va même jusqu'à me murmurer que je n'arriverai pas à livrer l'essence du message que je veux livrer. Et it's *ok* ! J'accueille ce qui est. Cela aussi changera. J'observe tout simplement ce que je fais comme expérience sans y mordre avec mon mental et mon insécurité. J'observe et j'accueille.

Si je place toute mon attention sur le doute qui veut émerger, je vais faire de l'anxiété de performance et je vais couper totalement la magie de l'inspiration. J'accueille donc à chaque instant, l'insécurité quand elle se présente. Elle m'enseigne et m'inspire, elle aussi. Tout nous enseigne partout et tout le temps ! Il suffit de réapprendre à lire la vie. Mais pour cela, il importe absolument d'accueillir ce qui est... toujours, oui toujours, du mieux que vous le pouvez.

Lorsque vous avez l'impression que la vie semble réussir en abondance et plus rapidement à certaines personnes qu'à d'autres, cette impression provient de notre propre façon de réagir face aux résistances. Car le changement, je vous le répète, a une seule vitesse. C'est la même règle pour tout le monde. Cherchez à vivre en cohérence avec la nature, elle est parfaite et ce, depuis la nuit des temps.

Mais rappelez-vous, acceptez tout simplement ce qui est ! Comme la nature nous l'enseigne. Sinon, vous allez devoir expérimenter ceci : ce à quoi je résiste, persiste.

Calme-toi,
un pas
à la fois

Le « pattern » de la performance

Si nous sommes constamment dans nos insécurités et tous nos conditionnements inconscients, nous fonctionnons malheureusement par défaut.

Fonctionner de cette manière, c'est fonctionner à l'opposé de la pleine conscience. Nous fonctionnerons donc par impulsivité et embarquerons alors les saboteurs suivants : le contrôle, la fuite, les jugements, la comparaison, l'auto-sabotage et j'en passe. Lorsque j'agis ainsi, je tente de contrôler la vie. Donc, je résiste à ce qui est. Mais pire encore, je tue littéralement l'inspiration, ma vitalité ainsi que mon pouvoir de création consciente. J'entre alors dans un monde de combats, de résistances, de manque et de survie.

Si je ne m'éveille pas rapidement de ces processus inconscients, je m'assure de rester coincé dans une prison de verre et de ne pas pouvoir m'en libérer. Observons pour l'instant ce qui se cache derrière tout cela.

Le segment que je m'apprête à vous partager risque probablement de transformer littéralement votre perception de l'amour, votre perception du jugement, votre perception de l'insécurité ainsi que votre façon de comprendre pourquoi vous avez peut-être tendance à vouloir performer.

Voici une autre grande vérité : les plus performants sont les plus insécures.

Oui vous avez bien lu, les plus performants sont en réalité les plus insécures. Mais on ne le voit pas toujours car ils arrivent à bien le cacher derrière leur carapace. Ils ont développé avec le temps des mécanismes inconscients pour se protéger.

Mais it's *ok* ! Tout a sa raison d'être.

Tout d'abord, ce qu'il faut savoir c'est que 90 % des gens sont aux prises avec ce grand virus qui limite leur véritable potentiel. Lorsque j'enseigne ceci en profondeur dans mes retraites, comment se libérer de ce virus inconscient de notre esprit, je vois des vies se transformer par la suite. Les gens font souvent ce que j'appelle un « shift » de conscience, tout simplement parce qu'ils sont passés du stade de la connaissance à celui de la compréhension.

Mais tout d'abord, que se passe-t-il pour que les gens désirent performer autant ?

En réalité et inconsciemment, les gens performent afin d'être aimés, tout simplement.

Nous cherchons à performer parce que si on réussit comme nous le voulons, nous aurons ensuite de l'attention, de la reconnaissance et de l'amour des autres. À ce moment-là, notre hamster, notre mental arrivera à se calmer et nous allons être bien.

Tout cela est tellement subtil mais présent derrière nos comportements de performance. Si nos performances ne sont pas à la hauteur de ce que l'on attend de nous, nous risquons alors de faire face à deux problèmes.

Problème numéro 1 : je vais faire face au jugement des autres, à la critique des autres.

Mais il y a pire :

Problème numéro 2 : je vais faire face à mon propre jugement et je suis assurément le juge le plus sévère, le plus critique et le plus rigide qui soit face à moi-même.

Si ma performance n'est pas à la hauteur de mes propres attentes, je vais me critiquer.

« J'aurais pu faire mieux. Je n'ai pas donné le meilleur de moi. Voyons, tu es capable de beaucoup plus. Tu n'es tellement pas à la hauteur. »

Et par la suite, je vais bien sûr me juger.

« Franchement, c'était très mauvais ! Par rapport à telle personne, je n'étais pas bon. Les autres sont bien meilleurs que moi. » Et vous allez évidemment vous comparer.

Ensuite par la cause à effet, je vais me culpabiliser.

« Tu aurais pu te forcer, tu es méprisable. Tu ne passes pas assez de temps avec tes enfants, tu n'es pas un bon mari. Tu n'es pas une bonne conjointe. Tu aurais pu t'organiser un peu plus au travers de tout ça. »

Et la cause à effet se poursuit. Étape suivante, m'auto-saboter.

« J'ai honte de moi. Je me déteste, je ne suis qu'un bon à rien. Je ne suis tellement, mais tellement pas fier de moi. »

Ensuite, vient la grande période de doutes :

« Ça ne marchera jamais mes affaires ! Tu ne sais même pas parler convenablement. Tu n'arrives jamais à t'organiser. Tu ne mériteras jamais rien de bon ! Et lorsque je me critique, je me juge, je me culpabilise, je m'auto-sabote, je sème le doute à travers toutes mes cellules. Chacune des cellules de mon corps est alors nourrie et abreuvée de doutes. »

Je vais douter de tous mes projets. Est-ce que je suis à la bonne place présentement ? Est-ce que c'est vraiment ça que je veux ? Je ne suis plus sûr de rien.

À ce moment, c'est comme si un drain d'énergie était connecté à nous. On ne croit plus en rien. Est-ce que ça vous est déjà arrivé à vous tout cela ? Vous reconnaissez-vous dans ce processus ?

Imaginez, vous aviez un super beau projet, vous étiez allumé comme un sapin de Noël, vraiment aligné sur l'exaltante expérience que vous vous apprêtiez à vivre et en vous rendant chez vos parents pour partager la bonne nouvelle, ceux-ci vous ont regardé étrangement et vous ont dit : « Es-tu vraiment sûr ? Moi, je ne te vois tellement pas faire ça ! »

Un jugement sur votre projet, vos actions ou pire encore, sur vous-même. Vous êtes alors tout déboussolé.

Ou encore vous vous dites : tu n'y arriveras jamais. Ça fait plusieurs fois que tu as de pareils rêves qui, au final, ne se rendent jamais à exécution ! Ou encore, tes amis, ceux qui ont le rôle de t'encourager, te disent machinalement :

« Es-tu sûr ? Il me semble que je ne te vois pas faire ça. »

« Je connais une autre personne qui l'a fait et ça n'a pas fonctionné. »

Ces jugements-là s'incrustent dans votre esprit pour y germer, ce virus du doute y étant déjà sous forme latente. Et puis voilà, il prend de l'expansion, comme tout virus qui se développe et vous commencez à vous mettre en doute, à vous juger vous aussi.

« Je ne serai peut-être pas... je n'ai peut-être pas les capacités qu'il faut. Je ne suis peut-être pas à la hauteur. »

Tout ça trouve sa place en vous parce que vous possédiez déjà ce virus implanté dans votre machine. Sinon, ça ne vous affecterait pas le moins du monde.

Pensez-vous porter ce virus dans votre machine ? Soyez honnête avec vous-même. Sans vous sentir coupable de cela, avez-vous tendance à glisser dans la critique, le jugement, la culpabilité, l'auto-sabotage et le doute ?

Si oui, it's *ok*, tout a sa raison d'être. Absolument tout, croyez-moi. Vous êtes exactement à l'endroit où vous devez être en ce moment.

Donc, récapitulons un peu. Les plus performants performent pourquoi déjà ?

Parce qu'en fait, ils ne veulent pas se faire critiquer, ni se faire juger car ils cherchent l'amour et la paix d'esprit. Donc, ils vont s'assurer que tout soit parfaitement sous contrôle.

À défaut d'y arriver, ils vont se mettre à se critiquer, à se juger, à se culpabiliser, à s'auto-saboter, à se mettre en doute et comprenez-moi bien, tout cela n'est qu'une question de cause à effet.

Une chose est certaine, c'est impossible de ne pas être en train de nous auto-saboter si au préalable nous n'avons pas commencé par la critique, le jugement et la culpabilité. Tout est une question de cause à effet !

Je vous l'ai dit au début du livre. Ce que je vais vous partager est aligné avec les grandes vérités universelles des lois de la nature.

Si je me juge, je vais ensuite me culpabiliser.

Si je me culpabilise, je vais ensuite m'auto-saboter.

Si je m'auto-sabote, je vais ensuite me mettre en doute.

Mais ce virus ne s'arrête pas là !

Si je doute de moi, je vais ensuite manquer de confiance en moi. Si je manque de confiance en moi, je vais devenir très agité et boum !!! Voilà que je vais aussi diminuer l'estime que j'ai pour moi.

Mon image pourra alors ressembler à ceci : « Je ne suis pas à la hauteur, je ne mérite pas de me réaliser à fond, je suis trop gros, trop petit, trop pauvre, pas assez intelligente, etc. »

Et là, faites attention ! Dans la société de tous les jours, nous cherchons à faire des formations pour augmenter la confiance en nous. Nous ne cherchons malheureusement pas à la bonne place. En réalité, il y a un niveau beaucoup plus vrai et profond, la racine, j'ai nommé l'amour de soi.

La confiance sera toujours présente lorsque vous arriverez à vous construire avec de vraies briques, solidifiées entre elles et cimentées. Il faut reconstruire les fondations sinon le fait de vous juger, vous critiquer, vous culpabiliser fera que vous vous auto-saboterez. Ça vous placera directement en doute par rapport à vous-même et vous manquerez inévitablement de confiance en vous, d'estime de vous. Et plus vous répéterez ce cirque, plus vous drainerez votre amour-propre pour vous.

C'est alors que vous allez être complètement sur le carreau comme si quelque chose vous tirait vers le bas et ce, pour des jours entiers. Vous voyez ce que je veux dire, n'est-ce pas ?

C'est comme si plus rien ne fonctionnait. Vous aurez de la difficulté à vous reconnaître, vous serez drainé et avec très peu d'énergie. Vous serez dur envers vous-même, vous vous taperez dessus, vous vous culpabiliserez sans fin, vous vous adonnerez à fond dans l'auto-sabotage.

Vous allez sûrement être en doute par rapport à vous-même et vos plus beaux projets et pourtant, quelques jours auparavant, vous étiez prêt à conquérir le monde !

C'est vrai, n'est-ce pas ? Est-ce que vous reconnaissez quelqu'un ? Si oui, c'est *ok* ! Accueillez cette vérité avec une grande vulnérabilité, c'est la toute première clé pour se libérer de ce vicieux virus.

J'étais moi-même aux prises avec ce « foutu » virus qui contamine l'esprit humain. Je n'arrivais pas à me réaliser à mon plein potentiel non plus ! J'étais en manque, en mode survie et j'étais envahi par mes souffrances. J'étais loin d'être dans le flot et je faisais tout pour être aimé et reconnu. Tout ça, à cause du virus à l'intérieur de ma machine : le « pattern » de la performance.

Plus je passais du temps à me taper dessus, à briser ma confiance, diminuer mon estime, à être impulsif et impatient à vouloir tout contrôler, plus je drainais inconsciemment l'amour véritable pour moi.

Mais it's *ok* ! Tout change ! Tout. Un pas à la fois.

Mais attention cela ne s'arrête pas là. Un moment donné, vous arriverez à vous dire, c'est assez le niaisage, donne-toi un coup de pied au cul et va chercher ce que tu veux !

Il se peut que vous recommenciez les mêmes « patterns » inconsciemment, que vous vous remettiez à performer à tout prix. Pourquoi ? Pour aller chercher, toujours inconsciemment, de l'amour et de la reconnaissance afin d'arriver à gagner votre quête de plénitude, obtenir une fausse paix d'esprit.

Si je performe, si tout est bien placé, bien organisé, bien structuré, je vais être enfin en paix. Mais en réalité, s'il y a la moindre petite erreur, je vais me juger, me critiquer, m'auto-saboter.

Les causes sont en nous, toujours. Et ça nous demande une grande humilité de se savoir pris avec un tel virus. Mais it's *ok, it's a process*. Ayez la ferme intention de libérer votre esprit pour votre plus grande réalisation.

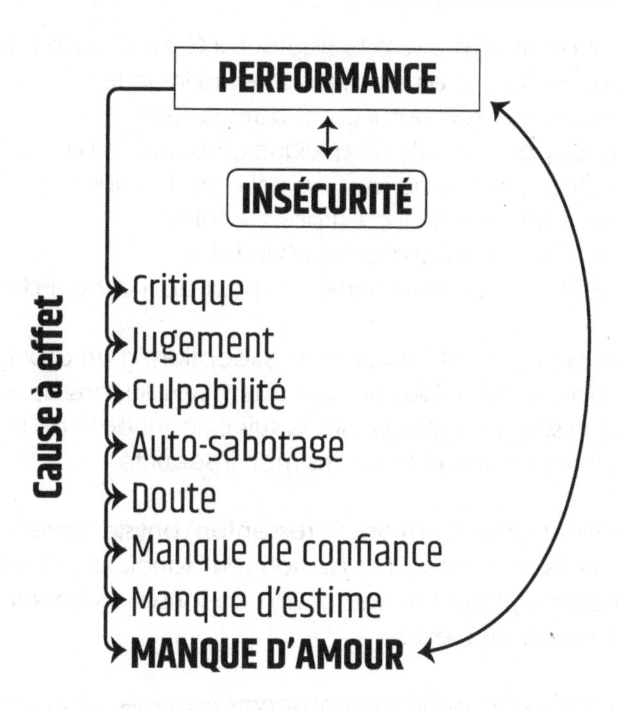

Les peurs ne sont que pures illusions

En-dessous de tout ce « pattern » de la performance, il y a beaucoup d'insécurité. Les plus performants sont les plus insécures.

Si je vis avec un sentiment d'insécurité permanent, je vais avoir l'impression qu'il me manque toujours quelque chose pour être heureux, une simple et fausse perception. Si je suis dans mon insécurité et que j'ai l'impression qu'il me manque quelque chose, je vais être dans mes peurs et mon besoin de contrôler prendra place rapidement.

Mais la réalité, c'est que les peurs ne sont que pures illusions. Oui, les peurs ne sont que pures illusions de notre mental car elles prennent naissance toujours, toujours, toujours, dans le futur. Vous n'avez pas peur du passé, vous l'avez déjà traversé. Vous avez peur du futur, vous l'anticipez :

« J'ai peur de ne pas être à la hauteur. » C'est dans le futur.
« J'ai peur de ne pas être aimé. » C'est dans le futur.
« J'ai peur de me tromper. » C'est dans le futur.
« J'ai peur de passer à côté de quelque chose. » C'est dans le futur.
« J'ai peur de faire rire de moi, » c'est dans le futur.
« J'ai peur d'être rejeté, » c'est dans le futur.
« J'ai peur d'être trahi, » c'est dans le futur.
« J'ai peur de perdre ma liberté, j'ai peur de, j'ai peur de... »

Les peurs proviennent toutes, sans exception, d'un esprit qui se projette dans le futur. Elles ne sont que pures illusions du mental. Et quand je suis dans mes peurs, je suis déconnecté de ma véritable nature puisque je suis dans mon insécurité.

Les sensations et les émotions se ressentent physiquement à certains endroits du corps. Elles deviennent tangibles. L'insécurité se manifeste la plupart du temps en une sensation de serrement en plein centre du plexus.

Si j'alimente cette peur, sans observer comment ma machine fonctionne, sans observer ce qu'elle crée dans mon corps, le sentiment d'insécurité prendra de l'ampleur et se transformera en une anxiété de plus en plus grande.

Les réactions et sensations de ma machine me stresseront. Ce stress m'amènera donc encore plus d'anxiété et ainsi de suite. De la pure folie soumise aussi à la loi de la cause à effet. Le stress servira de levier à l'anxiété qui servira à son tour de levier au stress.

Tout ça parce qu'on ignore comment notre machine fonctionne, parce que nous n'avons pas appris à se calmer et à se maîtriser. Les peurs ne sont que pures illusions. Quand nous sommes dans notre insécurité, c'est qu'on a la perception qu'il nous manque quelque chose. Ce n'est seulement qu'une perception.

En réalité, tout est déjà là. Il ne manque rien ! Quand on arrive à être ici, au moment présent, il ne manque rien. Et lorsqu'on ne manque de rien, on trouve enfin la voie du bien-être intérieur. Parce que si je suis dans le futur en train d'essayer de gérer toutes les peurs que j'anticipe, en train de planifier, structurer, organiser constamment, je vais devoir gérer aussi les causes à effets. Et pendant ce temps, je suis partout sauf dans ce précieux moment présent. J'utilise alors ce présent pour essayer de contrôler une pure illusion que j'ai laissée dérouler dans mon esprit. C'est pourquoi nous devons apprendre à nous maîtriser.

Si je place mon attention sur le futur, ce à quoi je mets mon attention prend de l'expansion. Ça se transforme alors en sensations palpables à l'intérieur de ma machine. Donc, si je mets mon attention dans le futur, que j'ai peur de ne pas être à la hauteur, instantanément à l'intérieur de moi se crée une sensation qu'on retrouve normalement au centre de notre plexus et qui nous crée de l'angoisse, du stress et de l'anxiété.

C'est encore une cause à effet.

Cette insécurité-là, je la porte à chaque instant. Ensuite, si je ne suis pas dans la pleine conscience, je vais avoir des réactions impulsives. Donc si je suis dans mes peurs : peur de me faire tasser, peur de me faire trahir, peur de me faire juger, peur de me faire critiquer, de ne pas être à la hauteur, de ne pas être aimé, de ne pas être reconnu, peur de passer à côté de quelque chose, peur de me tromper ou peu importe les peurs, si je suis dans le futur, dans mes peurs, je vais être dans mon anxiété et dans mon insécurité à l'intérieur de moi. C'est encore une cause à effet.

Mais observez ! Ne me prenez pas au mot, observez si c'est vrai en faisant l'expérience directement.

Nous devons aller dans le futur pour planifier et organiser, mais il ne faut pas y rester trop longtemps car l'esprit humain en fera un conditionnement automatique et déroulera sans cesse des histoires purement illusoires. C'est un grand danger.

Dans le cas opposé, si je place mon attention dans le passé et que je suis en train de repasser :
- tout ce qui ne fonctionne pas dans ma vie,
- ce qui n'a pas été réglé avec mon ex-conjoint(e),
- la garde des enfants,
- la pension alimentaire,
- l'emploi que j'occupe depuis des années et que je n'arrive pas à quitter mais qui ne me rend plus heureux,
- ma situation financière,
- mes problèmes financiers,
- l'expérience d'avoir été battu et agressé quand vous étiez jeune.

Peu importe l'expérience du passé, si votre attention est toujours là à regarder se dérouler le passé, vous aurez tendance à être dépressif. Ce sera très lourd à gérer et ça drainera complètement votre énergie.

Pendant ce temps-là, vous serez en train de créer la vie que vous ne voulez pas vivre.

J'espère sincèrement que vous avez assimilé le principe maintenant. Si vous vous reconnaissez dans tout ça, *it's ok* ! Maintenant, regardons en avant.

Un grand sage du nom de Lao Tseu disait : « si tu as tendance à être anxieux, c'est parce que tu vis dans le futur. Si tu as tendance à être dépressif, c'est parce que tu vis dans le passé. Si tu as tendance à être en paix, c'est parce que tu vis ici, au moment présent. »

La clé, c'est d'arriver à vivre en pleine conscience, dans l'instant présent.

Une fois que nous sommes connectés avec ce qui est, que nous sommes en harmonie avec la nature, nous arrivons à percevoir l'équilibre dans tout ce qui existe. Et à ce moment précis de notre éveil, nous pouvons comprendre, qu'en réalité, toutes ces périodes de contractions, de résistances, de souffrances et d'expansion ont leur sens.

Dans ce grand jeu de la vie, tout est toujours parfait ! Pour percevoir cette réalité, il importe d'apprendre à se maîtriser davantage et à se connecter dans l'instant présent. C'est exactement ce que je vais vous proposer d'ici la fin de ce livre.

Comme tout est cause à effet, aussi bien activer notre intelligence afin qu'elle s'unisse à notre conscience pour influencer les causes et obtenir des résultats concrets et cohérents avec nos idéaux de vie.

Mais pour ce faire, nous devons changer notre façon d'être et de vivre notre vie au quotidien. Il y a cependant des clés à développer et maîtriser davantage. Cela a été possible pour moi, et je crois profondément que cela puisse l'être également pour vous.

Voici avant tout trois pré-requis :

1. Prendre la pleine responsabilité de notre vie ;
2. Avoir l'intention ferme d'améliorer notre qualité de vie en nous réalisant pleinement ;
3. Être capable de respirer.

Si vous détenez ces trois pré-requis, il ne vous reste qu'à ouvrir l'esprit et vous investir à fond dans ce grand jeu qu'est la vie.

Il importe que vous puissiez apprendre à observer comment vous fonctionnez. Apprendre à observer, sans jugement, sans être trop dur avec soi. Seulement prendre une position de témoin pour vous observer.

Plus vous allez développer cette faculté d'observation sans jugement de vous-même, plus vous vous éveillerez à votre véritable potentiel. Viendra le temps où vous arriverez à ne plus réagir et à vous maîtriser dans l'instant présent pour ensuite, agir en pleine conscience.

Est-ce que j'ai la recette du bonheur pour vous ?

Pas du tout, cette recette change à chaque instant, dépendamment de notre position par rapport à ce qui est. Nous devons devenir des maîtres de la flexibilité, de l'acceptation, de la présence, de la tolérance, de l'amour et aussi de l'humour, car cette dernière est une clé sous-utilisée qui cache beaucoup de potentiel pour nous aider à se libérer.

Les 12 piliers de la pleine conscience

Pour arriver à vivre différemment tout en honorant notre divinité et savourer pleinement ce grand et beau voyage qu'est notre vie, je vous propose d'étudier et de méditer sur les douze piliers de la pleine conscience. Chacun de ces douze piliers nous permet de nous reconnecter davantage avec qui nous sommes vraiment, avec notre âme.

Chacun a un rôle à jouer et ils sont aussi importants les uns que les autres.

Chacun de ces piliers comporte différents degrés de compréhension et ils vous seront dévoilés tout au long de votre parcours de pleine conscience. Mais pour cela, il faut être réceptif et ouvert à ce que la vie a à nous enseigner.

Il est impossible de saisir le sens profond à la lecture d'un livre. Les livres sont là seulement pour nous guider et induire en nous, une réflexion. Pour l'activation et la libération véritable, it's a process. Et ça, ça se fait sur le terrain en étant dans l'action et en accueillant ce que la vie nous enseigne.

On aurait beau lire tous les livres existants sur les techniques de la natation, tant et aussi longtemps qu'on n'a pas plongé nous-même à l'eau, il est impossible d'apprendre à nager.

Voici donc les 12 piliers de la pleine conscience :

1. La responsabilité;
2. L'observation;
3. La respiration;
4. L'intention et l'attention;
5. La vision et les valeurs;
6. L'acceptation et l'accueil;
7. L'amour et le pardon;
8. La vulnérabilité;
9. Le moment présent;
10. L'intuition;
11. La signature énergétique;
12. Le changement.

Il y aurait suffisamment de matière pour élaborer dans un autre livre sur chacun des piliers de la pleine conscience. C'est vraiment primordial d'apprendre à bien les maîtriser et de comprendre l'importance capitale qu'ils occupent dans votre pleine réalisation.

Depuis le début de la lecture de ce livre, vous avez vu à maintes reprises comment le changement se manifeste partout dans notre vie. J'ai aussi élaboré longuement sur notre potentiel intuitif au chapitre 2. Nous avons déjà effleuré les autres piliers et le prochain chapitre viendra terminer ce livre en beauté puisque nous aurons le loisir de lire sur l'amour de soi.

Le but de ce livre n'est pas de vous enseigner à vous maîtriser comme je l'enseigne dans mes retraites. Il est plutôt de vous partager une philosophie de vie qui est que tout est toujours parfait. De vous partager l'art d'accueillir ce qui est et également de vous indiquer comment recréer sa vie au quotidien, selon les désirs de notre âme.

Le fait d'accepter ce qui est me permet de conserver mon centre d'énergie. Je passe d'un mode réactif à proactif. Mais pour cela, je dois arriver à le voir venir. Et c'est pour cette raison qu'il est primordial de développer le pilier numéro 2 de la pleine conscience qui est l'observation.

Sans arriver à s'observer, à observer nos réactions, observer ce qui nous fait vibrer ou ce qui nous fait souffrir, il sera impossible d'apprendre à nous maîtriser. Absolument impossible. Développer mon sens de l'observation est, je crois, ce qui a le plus transformé ma vie.

D'un autre côté, pour apprendre à nous observer sans réagir, nous devons apprendre à calmer notre mental. Il est trop fort et agité celui-là pour une grande majorité de personnes. Il faut apprendre à installer le calme à l'intérieur de notre machine. Sinon, le stress, l'angoisse, l'anxiété et l'insécurité, le doute et j'en passe, prendront rapidement le contrôle sur nous.

Il importe d'utiliser en abondance et de manière consciente un autre pilier, soit la respiration. La respiration est une clé tellement puissante ! Je dirais même probablement la plus puissante parmi les douze piliers. Elle nous ramène ici, dans l'instant présent, maintenant. La respiration est la seule action arrivant à faire le pont entre le conscient et l'inconscient. Mais c'est tellement simple qu'on ne lui porte plus d'attention.

Il est possible d'apprendre à calmer votre esprit simplement avec le pilier de la respiration. Je le fais à tous les jours. Des milliers de personnes dans le monde arrivent aussi à le faire chaque jour.

Et vous ? À quand remonte la dernière fois où vous avez respiré consciemment en répétant tout bas à votre mental : callllllllllme-toi ? Soyez honnête avec vous-même. Ça remonte loin, n'est-ce pas ? On préfère s'étourdir avec nos téléphones cellulaires, les réseaux sociaux, dans le ménage et le lavage à accomplir plutôt que de prendre le recul si bénéfique à notre mental. Il suffit pourtant de se fermer les yeux et respirer tout doucement en se chuchotant :

« *It's ok*, callllmmme-toi ! Tout va bien aller. »

Avec l'aide de la pleine conscience et de la méditation par exemple, ou de la cohérence cardiaque, le chemin naturel de la reconnexion s'effectue par lui-même. Nous n'avons que peu à faire pour nous reconnecter. Nous n'avons qu'à respirer en pleine conscience, avec l'intention de se calmer et de laisser ensuite la nature faire son œuvre. La paix viendra automatiquement s'installer en nous. C'est une fois de plus une question de cause à effet.

Tout est déjà là, apprenons à bien ne rien faire !

Bien ne rien faire est un art. Mais n'est pas facile à réaliser pour les performants insécures de ce monde. Même lire ce livre, ce n'est pas ne rien faire. C'est nourrir l'esprit encore et toujours.

Pouvez-vous déposer ce livre ne serait-ce que cinq petites minutes et simplement respirer ?

ATTENTION ! Une personne cheminant en pleine conscience et dotée d'une conscience éveillée va automatiquement observer quels sont les comportements impulsifs qui émergent en elle suite à la seule lecture de cette dernière question !

« Non, je n'ai pas envie de prendre le temps de faire ce jeu. Je suis plus loin que ça, j'ai déjà fait ça, ou ça ne me tente pas. »

C'est le « pattern » de la performance en action. En vouloir toujours plus, sans savourer l'instant présent. Il faut s'observer et agir, sinon, nous passerons à côté de l'essentiel et ce, partout dans notre vie.

Allez ! Jouez le jeu !

Déposez le livre et pendant une période de cinq (5) minutes, vous allez mettre votre attention seulement sur l'air qui entre et qui sort de vos narines. Vous pouvez aussi observer tous les sons que vous entendrez pendant ce temps et ce que vous ressentirez dans votre corps. Juste un petit cinq minutes.

Mais attendez ! Ce n'est pas tout ! À chacune de vos expirations, vous allez répéter le mot calme à l'intérieur de vous, comme vous le feriez pour endormir un bébé, tout doucement.

Donc j'inspire, je peux observer ma respiration ainsi que les sons provenant de partout autour de moi, de partout dans l'instant présent, et j'expire, je dis à l'intérieur de ma machine : « Caaaaaaaaaaalllllllllmme ».

Et surtout durant ces cinq minutes, observez ce qui se passera dans votre machine. C'est parti pour vos cinq minutes.

Votre machine vous parle !

Et puis, comment vous sentez-vous ? Étiez-vous assez attentif pour arriver à percevoir les changements dans votre machine ? En l'espace de cinq minutes, vous avez probablement expérimenté :

- Une meilleure concentration ;
- Une plus grande paix d'esprit ;
- Une certaine tranquillité qui s'est installée en vous ;
- Les muscles de votre corps se sont détendus et relâchés ;
- Une plus grande présence vous habite ;
- Un mental plus calme.

Et ce ne sont que quelques aspects énumérés ici-haut. Pourtant vous n'avez que respiré durant cinq minutes en vous murmurant le mot calme. Ça vous a aidé, n'est-ce pas ? Pourquoi ?

Parce que vous êtes le seul maître à bord de votre machine. Votre corps et votre inconscient se sont activés dans le sens de votre intention. En disant le mot calme, c'est comme si vous placiez une demande à votre corps. Et instantanément, il vous a répondu en se déposant.

Votre machine vous parle et vous écoute toujours. Prenez soin de bien la nourrir notamment avec les pensées et le discours intérieur que vous utilisez.

Mais votre machine vous parle aussi particulièrement, au travers vos valeurs. Au fait, connaissez-vous vos valeurs ? Vos quatre principales valeurs de base ?

Vous devriez les connaître par cœur, sur le bout de vos doigts. Vos valeurs font en sorte que vous êtes heureux ou malheureux. C'est ce qui fait que vous vibrez ou non.

Qu'est-ce qu'une valeur ?

Premièrement, une valeur est un pilier majeur de la pleine conscience au même titre que l'amour de soi. Sans l'amour de soi et sans nos valeurs clairement définies, c'est une vie en survie et remplie de résistances dont nous ferons l'expérience. Et vivre de cette façon, c'est manquer d'honorer son potentiel divin.

Si vous ignorez vos valeurs en ce moment, *it's ok*. Tout est toujours parfait. Imaginez ce qui va émerger avec l'éveil de ce principe de base. Tant que vous ne comprendrez pas ni ne connaîtrez vos valeurs principales de base, il sera impossible d'être en cohérence avec celles-ci.

Vos valeurs sont ce qui vous permet de vibrer à chaque instant. Elles vous placent en position d'ouverture face à la vie. Surtout, elles vous permettent de voir naître des étoiles dans vos yeux.

Lorsque vos valeurs vibrent, elles ont le potentiel d'allumer des milliers d'étoiles dans vos yeux, mais aussi d'allumer des milliers d'autres personnes.

Avez-vous présentement le sentiment d'une pleine réalisation dans votre vie ? Si oui, c'est parce que vous êtes en train de faire vibrer vos valeurs. Vous devez le savoir consciemment pour pouvoir le répéter.

Et si vous ne sentez pas qu'actuellement, vous vous réalisez pleinement, êtes-vous en mesure d'imaginer ce qui arriverait à vous faire vibrer ? Le savez-vous ?

Voici quelques exemples de valeurs :

1. Liberté
2. Compassion
3. Contribution
4. Découverte
5. Aligné/connexion
6. Amour/amitié
7. Cohérence
8. Créativité
9. Famille
10. Simplicité
11. Plaisir
12. Don de soi
13. Intégrité
14. Honnêteté
15. Altruisme/générosité
16. Authenticité
17. Équilibre
18. Communication
19. Respect de soi et des autres
20. Responsabilité
21. Justice
22. Discipline
23. Tolérance
24. Épanouissement
25. Écologie
26. Audace
27. Bienveillance
28. Accomplissement
29. Compétence
30. Empathie
31. Engagement
32. Harmonie intérieure
33. Résilience
34. Sagesse
35. Ouverture
36. Bonté
37. Charité
38. Collectivité
39. Modestie
40. Réussite

Pour vous réaliser pleinement, vous devez absolument avoir un code d'honneur. C'est-à-dire, vos quatre valeurs de base qui pour vous, ne sont pas négociables. Elles doivent se retrouver partout dans votre vie, dans tout ce que vous faites, dans vos relations personnelles, professionnelles, auprès de vos amis, vos enfants, vos parents.

Dans un cheminement de pleine conscience, on ne devrait pas scinder le personnel du professionnel. On devrait voir l'union et non la division. Il n'y a qu'un aspect. De toute manière, se réaliser personnellement en pleine conscience fera en sorte qu'on se réalisera aussi professionnellement.

Vous voulez que les gens vous aiment pour qui vous êtes réellement et non pas pour qui vous faites semblant d'être. La beauté avec les valeurs, c'est qu'elles nous servent de baromètre. C'est grâce à nos valeurs que nous arriverons à prendre des décisions conscientes. Les gens qui ont de la difficulté à prendre des décisions, c'est parce qu'ils ne savent pas quelles sont les valeurs profondes qui les font vibrer et se réaliser pleinement. Alors ils évaluent les pour et les contre, deviennent stressés, insécures et ont peur de se tromper. Pourtant, si leurs valeurs étaient claires, les décisions seraient automatiquement plus faciles.

Si vous avez le sentiment d'être triste et éteint, regardez du côté de vos valeurs. Elles ne sont probablement pas respectées en ce moment. Que pourriez-vous faire, à partir de maintenant, afin de vous permettre de vibrer à nouveau ?

Osez vivre en cohérence

Vos valeurs, c'est ce que vous voulez voir vibrer et rayonner le plus dans votre vie. Vos valeurs sont votre idéal de vie ultime de la pleine réalisation de votre âme. Vous devez observer ce pourquoi vibre votre machine chaque instant. À quoi, mais aussi à qui ? Certains vont vous élever seulement en étant ce qu'ils sont, d'autres vont vous drainer en énergie. Observez pourquoi ? Tout ça a sa raison d'être dans ce grand jeu qu'est la vie.

Vivre en cohérence, c'est tenir un discours aligné avec notre idéal de vie, selon nos véritables convictions. Nous sommes le reflet de nos pensées, nous devenons le fruit de nos convictions. Notre vie est le produit de notre visualisation. Notre vie est le résultat de nos paroles et de notre discours intérieur.

Vivre en cohérence, c'est aussi accueillir et accepter en toute vulnérabilité, que oui nous allons parfois vivre des moments difficiles et qu'il ne sera pas toujours facile de les gérer, de les comprendre et les d'accepter. Mais c'est *ok*. Nous avons aussi le droit de ne pas bien comprendre et de réagir de temps à autres. Pourquoi ?

Parce que nous portons en nous une signature énergétique avec laquelle nous créons notre monde. L'énergie que nous portons à chaque instant, c'est l'énergie avec laquelle nous émettons un signal d'envoi dans l'univers. Ensuite, la nature fait son œuvre par la grande loi de l'attraction, la cause à effet.

Cette partie est, je l'avoue, difficile à comprendre pour l'esprit humain. J'ai cessé de chercher comment ça fonctionne exactement depuis quelques années. J'active mon potentiel, c'est tout. Car j'ai la conviction totale de ce grand principe d'attraction et de cause à effet.

Je ne cherche plus à tout comprendre pour ne pas me tromper, mais je désire plutôt vivre et me réaliser pleinement.

C'est important de comprendre qu'il est impossible de mettre sur pause notre processus de création. Même à la lecture de ce livre, vous émettez une énergie dans ce monde. Moi aussi, j'en émets une. L'énergie que je porte en ce moment va influencer directement ce que vous percevez, et influencera aussi les ventes de ce livre et encore plus, je vous assure.

C'est bien au-delà des mots tout ça. L'énergie est tout, est partout et en tout.

Il est donc primordial d'accueillir ce qui est du mieux possible. Ensuite, il importe de faire des choix cohérents alignés avec notre idéal de vie. La vie ne se passera que très rarement, exactement comme nous l'avions prédit. Nous ne sommes pas assez intelligents pour comprendre ce grand plan.

Ce qui est certain, c'est que lorsque nous sommes dotés d'une ferme intention de nous réaliser pleinement, d'activer notre plein potentiel de création, de vouloir réaliser nos rêves de vie, c'est possible de créer et de manifester de grandes choses. Notre potentiel de manifestation est bien au-delà de notre imagination.

Déterminez ce que vous attendez de la vie, visualisez-le, affirmez-le, déclarez-le, concentrez toute votre attention en ce sens. Croyez-y de toutes vos forces, ayez totalement confiance. Vous verrez tout cela se matérialiser dans votre vie plus vite que vous n'auriez jamais osé le croire.

Trop simple pour être vrai ?

Cessez de vous en moquer car lorsque vous aurez compris toute la puissance de votre potentiel de création, vous vous demanderez sans l'ombre d'un doute pourquoi vous avez mis tant de temps avant d'utiliser votre plein potentiel.

Vous êtes peut-être de ceux et celles qui travailliez d'arrache-pied, à vous débattre tant bien que mal pour parer à toute éventualité alors qu'il vous suffisait de changer votre manière de penser.

Partez à la recherche de ce qui vous fait vibrer dans la vie. De ce qui vous met des étoiles dans les yeux et de ce qui cause un sentiment d'ouverture en vous. Ce n'est pas un coach, un auteur ou un psy qui va vous dire ce qui vous fait vibrer. Seul vous pouvez le savoir. Vous n'y arriverez qu'en vous observant attentivement. Recherchez aussi ce qui vous apporte un sentiment de paix intérieure, lorsque vous sentez qu'il ne vous manque absolument rien. Comprenez que ce grand système vous a parfaitement conçu lors de votre création. Tout est déjà là, vous êtes complet.

Travaillez constamment à muscler votre attention pour développer votre concentration. C'est une clé essentielle pour pouvoir activer toutes les autres. Sortons de ce conditionnement d'orgueil mal placé. Éveillez-vous au pouvoir de la vulnérabilité. La libération se fait uniquement après avoir accepté ce qui est et en toute vulnérabilité. Osez être qui vous êtes vraiment.

Faites des activités qui vous emmènent dans l'instant présent. Que ce soit peindre, jardiner, pratiquer le yoga et/ou différentes approches de méditation et pleine conscience. Entourez-vous de gens qui vous élèvent et qui vous aident à être vrai.

Accueillez les moments où vous auriez envie de tout abandonner. Observez la vérité qui émergera juste derrière. La simplicité vous parlera, le chemin de la reconnexion vous fera un clin d'œil. Écoutez la vie, écoutez votre corps et surfez sur la vague proposée.

A chaque instant, l'univers conspire pour votre plus grand bien et votre pleine réalisation. Tout est toujours parfait ! Accueillez ce qui est et embarquez sur la vague de la vie avec moi car vous méritez une vie de pleine abondance et de pleine réalisation vous aussi.

Vous êtes une merveille de la nature. Vous êtes le plus grand miracle du monde. Osez honorer votre divinité. Moi, je vous reconnais et c'est pour ça que j'écris ce livre. Parce que nous sommes tous interconnectés les uns aux autres.

Je vous aime et je crois en vous ! Aimez-vous assez maintenant pour faire ce choix de vous réaliser pleinement.

L'amour est toujours la réponse

CHAPITRE 8

L'amour est toujours la réponse

« La vie est une fleur. L'amour en est le miel. »
- Victor Hugo

S'il y a un pilier de la pleine conscience qui est important à travailler, c'est bien celui de l'amour. L'amour de soi et les valeurs sont, selon moi, les deux piliers les plus importants dans notre grand cheminement de croissance personnelle.

Lorsqu'on s'applique à reconstruire l'amour de soi, le reste de notre vie se transforme. L'amour fait des miracles et transforme tout. L'amour porte un véritable et magique pouvoir de guérison. Guérison pour soi mais aussi, guérison pour les autres.

Malheureusement au sein de la psychologie populaire, enseignée au cours des dernières décennies, la tendance populaire a été de mettre l'emphase sur la confiance en soi au détriment de l'amour de soi. « Développez votre confiance en vous et vous accomplirez de belles et grandes choses, vous performerez davantage et obtiendrez plus ». C'est ce qu'on y propose et c'est ok !

Pourtant, il y a tellement plus important. Il y a tellement une façon de faire plus profonde et qui vous apporterait des changements durables. Travailler uniquement sur le développement de la confiance en soi peut mener les gens à se perdre dans le « pattern » de la performance et se créer une carapace que personne ne verra.

L'insécurité doit être libérée et ce n'est pas la confiance qui va déraciner l'insécurité, bien au contraire. Il faut changer la cause pour obtenir un effet différent. Reconstruisez l'amour à l'intérieur de vous, et la véritable confiance sera au rendez-vous. Je vous l'assure. C'est une fois de plus, la cause à effet.

Plus vous vous rapprocherez de la source en travaillant sur vous, plus les changements seront rapides, mais surtout sains et durables.

Regardez plutôt du côté de l'amour de soi. C'est la base fondamentale de la pleine réalisation. C'est l'un des plus grands potentiels de l'être humain. Et pourtant, tous ces grands sages qui sont venus nous partager leurs messages d'amour sur cette planète avaient un langage commun : ***L'amour est toujours la réponse.***

Intégrer la compréhension de l'Amour !

C'est bien beau toutes ces belles paroles à propos de l'amour, mais le défi avec tout ça, est d'arriver à intégrer ces principes et à les appliquer dans notre quotidien. Nous le savons que c'est un défi pour nous la plupart du temps. Mais notre inconscient n'a pas envie d'aller jouer là. C'est inconfortable et souvent, il manque en nous un peu de vulnérabilité pour commencer ce travail de reconstruction.

Pourquoi je me donnerais de l'amour si je ne suis pas fier de moi ? Et si je vais encore plus loin dans cette logique, pourquoi j'en donnerais à d'autres qui me font souffrir ? Ça n'a aucun sens pour notre mental, n'est-ce pas ?

Il n'y a pas si longtemps, je pensais comme ça. Aujourd'hui, toutes mes actions sont teintées d'amour et de bienveillance. Je suis convaincu que dans votre lecture, jusqu'à présent, vous avez été en mesure de percevoir que je portais une énergie d'amour et de bienveillance, n'est-ce pas ?

Quand je fais une capsule vidéo pour ma grande communauté Facebook, je m'ancre dans une énergie d'amour et de bienveillance avant de tourner ma capsule. Les gens le ressentent, même s'ils sont à des milliers de kilomètres de chez moi. Nous sommes tous interconnectés les uns aux autres et nous arrivons à percevoir l'émotion qui est portée, même à travers des lieux qui nous séparent. La distance n'a aucune importance. C'est le « feeling ressenti » qui compte.

Laissez-moi vous raconter une histoire afin d'illustrer mes propos. Un événement qui a contribué à changer complètement ma manière de raisonner.

Une expérience qui changea ma vie !

Il y a de cela quelques années, comme je vous ai partagé, je consommais énormément de livres de croissance personnelle et de formations diverses. J'avais lu à maintes et maintes reprises l'importance d'être dans l'amour et de s'aimer soi-même avant tout mais également d'aimer son prochain. Honnêtement, même avec les nombreux bouts de papiers qui certifiaient mes titres de maître en ceci ou cela, je n'avais pas personnellement intégré ce principe. Je me disais, c'est important car on le mentionne dans la Bible : Aimez-vous les uns les autres, mais je n'en comprenais tout simplement pas le vrai sens.

Ce qu'il faut savoir, c'est que je n'adhère pas facilement aux principes jusqu'à ce que j'en vive une expérience pour en comprendre le sens véritable. Alors, si je vois que c'est universel, que c'est possible que ça m'aide dans la pleine réalisation de mon être et que ça m'amène à vivre de plus en plus en harmonie, alors à ce moment-là, je l'applique dans mon quotidien.

L'histoire se déroule...he oui, dans une expérience Vipassana. Si je ne me trompe pas, à ce moment-là, j'en étais à ma 10e expérience de retraite de silence qui, cette fois, se tenait au nouveau centre de Montebello au Québec.

Je vous rappelle que, pour la bonne compréhension de cette histoire, durant ces retraites de méditation en silence, il y a certains principes à suivre. Nous n'avons pas le droit de parler, pas le droit d'écrire, pas le droit de regarder quiconque dans les yeux, pas le droit de communiquer entre nous, pas le droit de courir ni même pas le droit de pratiquer une quelconque activité physique telle que le yoga, par exemple. Mais nous avons le droit de respirer à volonté. Ah ça oui, nous en avons le droit ; nous devons même ne faire que ça.

Tout ce que nous avons à faire est de simplement méditer en position assise, par terre, dix heures par jour, une heure à la fois. Cette expérience peut vous paraître simple et banale. Cette belle routine de dix jours de silence, dix heures par jour, à observer les réactions de ton esprit en méditation, sans formateur, sans enseignant, est tellement riche d'un potentiel libérateur. Toi, tout seul avec toi, avec ton mental et ton corps physique.

Même si j'en étais à ma 10 e expérience, j'arrivais toujours là-bas comme si c'était la première fois. Pour moi, c'est comme faire un voyage. Ce n'est pas comme aller chercher de la connaissance d'un formateur en particulier. J'avoue que ce serait spécial aller assister dix fois à la même formation. C'était vraiment comme si ça faisait dix fois que je le faisais pour la première fois. La vie étant en constante évolution, je n'étais jamais le même chaque fois que j'arrivais là-bas. Je saisissais toujours des choses que je n'avais pas captées les fois précédentes et surtout j'en récoltais toujours de nouveaux cadeaux. Je m'élevais toujours davantage alors que je ne m'y attendais pas.

Ce qui doit être sera, de toute façon. La vie place dans notre assiette exactement ce qu'on a besoin de développer et d'acquérir à chaque instant. Il en revient à nous de savoir si on veut relever le défi ou le mettre de côté en l'ignorant.

Particulièrement pour cette expérience-là, le sentiment de certitude que j'y vivais un « reset » m'habitait. Ma vie allait bien, aucun événement majeur ou particulier à dépasser, outre le fait que j'avais vraiment une grosse charge de travail ! À cette époque, j'étais courtier immobilier.

Je suis arrivé en pleine maîtrise de moi-même, avec mon expérience comportant des centaines d'heures de méditation et silence. J'avais même vraiment hâte de voir à quel point j'allais revenir transformé de mon expérience, une fois de plus.

J'étais arrivé dans les premiers, un peu plus tôt que les autres participants et j'ai décidé d'aller marcher dans la nature.

Les souffrances sont des bijoux !

À un moment donné, un homme dans la mi-quarantaine arrive. Vous savez, il arrive dans la vie qu'on croise des gens qu'on n'a jamais vus auparavant et sans raisons justifiables, on ne les aime pas du tout. Lui, c'en était un. Sans savoir pourquoi, ils ne nous ont rien fait, avant même qu'ils ne nous aient parlé, regardé, on ne les aime déjà pas. Bien, j'en avais pogné un comme ça moi, en arrivant !

Environs 5 pieds 10 pouces, mi-quarantaine, avec une queue de cheval. Il portait des bottes à caps d'acier délacées. Je trouvais tellement qu'il avait l'air malpropre, nonchalant et surtout très, très souffrant.

De mon point de vue, il avait l'air d'une victime, d'un irresponsable, et tellement « pogné » dans ses souffrances. Sans en comprendre les raisons, il me faisait réagir fortement ! Je ne comprenais pas ce qui réagissait autant à l'intérieur de moi. C'était vraiment intense, du jamais vu pour moi à ce moment !

La retraite commence donc et nous rentrons dans la grande salle de méditation. Les responsables nomment les noms pour assigner les places. Mon nom est sorti dans les premiers, car plus tu as d'ancienneté, plus tu es assis devant. À ce moment-là, on était peut-être une centaine dans la salle pour méditer les dix prochains jours dans le noble silence.

L'homme en question, celui qui me faisait tant réagir, le gars si « souffrant », selon moi, était assis à gauche derrière moi, en diagonale. Il était dans mon angle mort. J'étais assis dans la première rangée en avant et lui était peut-être assis à trois ou quatre rangées à ma gauche derrière moi. Beaucoup trop près !

Il me dérangeait déjà et on commençait à peine la retraite !

La méditation commence et il hante mes pensées. Je suis incapable de le chasser de ma tête. Je deviens doublement frustré. L'impression qu'il le sait m'habite en plus ! Il allait « scraper » mon expérience et toute ma retraite, si ça continuait ainsi.

Ai-je besoin de vous dire que ma première heure de méditation fut pénible ? Heureusement, on débutait le soir et c'était déjà presque le temps d'aller dormir.

Mais magie, magie, la vie nous réserve bien des surprises ! Je constate, pour couronner le tout, qu'il partage la même chambre que moi. Grrrrrrr ! Bien voyons donc !

Ce soir-là, j'ai fini par m'endormir. Il fallait bien que je me lève suffisamment tôt le lendemain matin pour continuer à...le haïr. Mais non, pour aller méditer. Et à 4h30 du matin S.V.P., rien de moins.

Imaginez-vous donc qu'il était encore dans mes pensées tout au long de la méditation du matin. Je n'en pouvais plus. Il hantait toujours mes pensées.

Cette expérience riche d'enseignement a duré quatre jours. À chaque pause, je le croisais dans les boisés, je portais la rage et la haine en moi. Il me faisait vivre un vrai calvaire ! Moi qui étais venu ici pour me reconnecter. J'en étais quand même à ma dixième expérience et aucune de mes autres expériences ne s'était passée de cette façon.

J'espérais qu'il abandonne la retraite comme plusieurs le font au cours des dix jours, car c'est trop éprouvant. Mais non, il était toujours debout. À lui voir la mine, il n'avait pas l'air fort, fort ! J'avais espoir qu'il se résigne et batte en retraite ou plutôt qu'il batte hors de la retraite !

Lors de la quatrième journée, alors que je marchais dans la nature comme j'en prenais plaisir à le faire à toutes les pauses car c'était mon moment, je décide de m'asseoir sur une chaise Adirondack pour observer le paysage. La nature est tellement belle là-bas avec tous ces gros chênes et les nombreux petits suisses et petits écureuils qui nous accompagnent dans ce processus.

Devinez qui j'aperçois, juste devant moi, qui s'approche. Eh oui ! C'était mon coloc de chambre. Je me dis alors en mon fort intérieur :

« Mais pourquoi je réagis autant à ce gars ? »

Et la réponse qui monte aussitôt à mon esprit :

« Ce gars-là, il a un grand besoin d'amour. » Et moi aussi j'ai besoin d'amour.

Me voilà envahi dans tout le corps d'une chair de poule.

Vous savez, j'ai beaucoup modélisé les grands sages. Notamment, il y a Jésus qui parle des brebis égarées. Je le vois alors en cet instant comme une brebis égarée. Je me dis donc : Et si je lui envoyais de l'amour pour faire changement ?

Comme j'ai l'imagination très fertile, de ma chaise Adirondack, me voilà qui m'imagine être un Calinours™ et je lui envoie de l'amour, beaucoup d'amour ! Mais je ne suis pas juste un Calinours™, j'en suis un spécial projetant à partir de son bedon, une multitude de rayons de couleurs et de cœurs qui émanent comme un gigantesque arc-en-ciel !

Pour mettre en contexte ceux et celles qui m'ont perdu, les Calinours™, c'est une émission télévisée pour enfants. Ce sont des oursons qui se rassemblaient pour envoyer de l'amour aux autres.

Je m'imaginais envoyer plein d'amour à cette pauvre brebis égarée. J'ai fait ça tout au long de ma pause, environ une heure de temps. À partir de ce moment, quand je le croisais dans ma chambre, je m'imaginais lui envoyer de la lumière et de l'amour. (Étrange n'est-ce pas ? Je vous imagine en ce moment, rire aux larmes. Ne me jugez pas, ce n'est pas gentil, mais je vous aime quand même !).

J'observais alors que suite à ce changement d'attitude de ma part, au retour de cette pause à la méditation, j'arrivais à me concentrer plus rapidement. Et ce qui était encore plus merveilleux, c'était de constater que j'arrivais à me concentrer encore plus rapidement que toutes les autres fois où j'avais médité en retraite jusqu'à présent. De plus, mon esprit était en paix totale, une expérience exceptionnelle.

À la pause suivante, je réalise que Monsieur X n'occupe même plus mon esprit.

Nous reprenons la méditation et il revient dans mes pensées. C'est alors que j'ai le réflexe de lui envoyer de l'amour et de la compassion. Imaginez un Bouddha qui émet des rayons d'arc-en-ciel empreints d'amour et de lumière à un autre Bouddha, trois rangs derrière lui. C'est de ça que ça devait avoir l'air. (Ne le dites à personne que je fais ça ! C'est entre vous et moi seulement).

Mais magie, magie, il n'est de nouveau plus dans mes pensées. J'arrive à me calmer et me concentrer alors très rapidement. J'utilise ici le mot magie car c'est réellement une découverte pour moi. J'avais des milliers d'heures d'expérience, mais là, je saisissais une chose capitale.

Tu ne peux pas mettre ton attention sur deux choses en même temps.

Je ne peux pas le haïr et lui envoyer de l'amour en même temps. Je ne peux pas non plus le haïr, le juger et être en paix dans ma tête. C'est impossible. C'est une question de cause à effet. Telle pensée, tel effet.

C'est comme dans la vie de tous les jours. On ne peut se réaliser pleinement en regardant constamment ce qui ne va pas dans notre vie. On ne peut pas mettre notre attention sur deux choses en même temps. Je ne peux pas mettre mon attention sur : envier quelqu'un, jalouser quelqu'un, être en colère en lien avec quelqu'un ou quelque chose et de l'autre côté être dans l'amour. Impossible !

Telle cause, tel effet, nous avons la responsabilité de choisir ce que nous voulons voir grandir en nous. Rappelez-vous une fois de plus, ce sur quoi vous mettez votre attention prendra de l'expansion.

En fait, j'ai compris que je créais exactement ce que je vivais comme expérience. Et lui n'en savait rien. Et jamais en plus, il ne m'avait parlé. Preuve que ce n'était pas parce qu'il m'avait dit quelque chose de déplacé. Sa simple énergie, sa simple présence faisaient émerger en moi mes propres souffrances. Wow, c'était une belle trouvaille pour moi. Disons que je suis un peu passionné de ce genre de découverte. Je me libère et j'aime ça !

Tout est toujours parfait !

La paix grâce à l'amour !

Au début de la retraite, je mettais constamment mon attention sur ce qui me faisait réagir. *Il fait réagir mes souffrances. Je le déteste ! Sans comprendre pourquoi, je le déteste littéralement !* Donc, quand j'arrivais dans mes méditations, j'avais le mental agité constamment, je le jugeais et je lui en voulais terriblement d'occuper mes pensées.

Le jour quatre, celui où tout avait changé, j'ai osé jouer le jeu en lui envoyant de l'amour. J'ai donc mis mon attention sur l'amour. J'ai porté l'amour à l'intérieur de moi. En bonus, mon mental s'est littéralement calmé pour le reste des méditations. Je me sentais bien et en paix avec moi-même.

Non seulement ça, mais j'ai également compris que si je porte l'amour en moi et que je le partage, j'évacue ainsi les mauvaises pensées qui m'habitent ainsi que les mauvais « feelings ». Impossible d'avoir des pensées d'amour et de compassion et de se sentir mal en même temps. Impossible !

Le plus marquant, c'était ce que j'observais dorénavant au cours de mes méditations. J'étais habité d'un calme comme jamais auparavant et d'une capacité de concentration extrêmement puissante. C'était vraiment exceptionnel.

Après une contraction, vient toujours son équivalent en expansion. C'était wow ! Vive la pleine conscience !

Aux pauses suivantes, je me promenais allumé comme un sapin de Noël. Je me suis mis à envoyer de l'amour à tout le monde. J'en envoyais aux cuisiniers, aux guides, aux autres méditants. J'étais comme un « sprinkler » à amour. Mes expériences de méditation furent tellement puissantes et libératrices par la suite.

Un ange déguisé en...

Mais que venait-il de se passer exactement ? Ce gars-là, d'un style nonchalant, venait sans le savoir de m'enseigner exactement ce que j'avais besoin de comprendre à ce moment de ma vie.

Nous ne pouvons pas mettre notre attention sur deux choses en même temps. Par contre, nous avons le pouvoir de choisir à chaque instant, ce sur quoi on veut mettre toute notre attention. Nous pouvons choisir ce sur quoi nous aimerions voir prendre de l'ampleur et faire grandir en nous.

Wow, quelle belle prise de conscience qui allait ensuite me servir pour le reste de ma vie.

Mais ce n'est pas terminé. (Calmez-vous cher public en délire !!!!)

Chaque dixième jour d'une retraite Vipassana, nous avons le droit de reprendre la parole. Cette période est importante afin de se préparer à revenir dans ce grand tourbillon de la vie, qu'est la société. C'est particulier à quel point on peut être transformé après ces dix jours de noble silence et pleine conscience. Il faut vraiment en vivre l'expérience pour en saisir toute l'essence.

Donc, à la dixième et dernière journée, nous étions rassemblés par petits groupes pour partager nos expériences et parler de la pluie et du beau temps. Je ne mentionnais jamais que j'en étais à ma dixième expérience Vipassana, car ça ne faisait qu'impressionner les gens et ce n'était tellement pas nécessaire. Alors que nous étions en train d'échanger, Monsieur X, l'homme de mon histoire, arrive d'un pas déterminé, portant ses pantalons de jogging et ses bottes toujours délacées. Avant même de me dire bonjour, il me dit sur un drôle de ton :

« Toi là, il faut que je te parle. »

J'avale, car je me dis : il a sûrement perçu quelque chose !

La voix tremblante, il me dit : « faut que je te dise quelque chose. »

Je le sens vraiment ému. C'était déstabilisant pour lui, ainsi que pour moi.

« Tu m'as tellement fait de bien durant cette retraite. Je me branchais sur toi. À chaque fois que je te croisais, je me connectais à toi et tu me faisais tellement de bien ! Dans la salle, je me connectais sur toi, tu m'apaisais. Je veux simplement te remercier pour cela. »

Et maladroitement, il me fait un câlin et il repart comme il est arrivé.

Je vous jure, simplement en vous expliquant cette histoire-là, je suis encore ému et avec la chair de poule.

Imaginez ! Nous sommes dans une retraite de silence, nous n'avons pas le droit de parler, pas le droit d'écrire, pas le droit de se regarder, pas le droit de communiquer.

C'est ça l'art de vivre en pleine conscience. On prend nos responsabilités, on apprend de nos expériences et on accueille nos souffrances. Il y a toujours un bijou qui nous attend derrière l'expérience et on est toujours récompensé de nos efforts.

Tout a sa raison d'être dans ce grand plan. Tout est toujours parfait !

Tout ce que j'ai fait a été d'observer mes résistances, de les accueillir au meilleur de mes capacités, avec les outils et le niveau d'éveil de conscience que j'avais à ce moment-là de ma vie. J'ai ensuite appliqué mes connaissances au travers de l'expérience. J'ai mis en action ce que j'avais appris et je l'ai intégré.

C'est important de comprendre que l'on intégrera les enseignements uniquement dans l'application des connaissances. It's a process !

J'ai décidé de changer ma façon d'être par rapport à ce qui m'arrivait. Je me suis mis à lui envoyer de l'amour, à utiliser mon pouvoir d'imagination, à projeter de l'amour. J'avais appris que nous étions tous interconnectés. C'était dans mon savoir mais pas dans mon savoir-être, ce n'était pas encore intégré dans l'expérience.

Non seulement cet homme est venu me transmettre son ressenti vis-à-vis l'expérience, inconscient que nous faisions l'un de l'autre au cours de la retraite, mais il est venu me porter son message avec un visage qui était totalement libéré. De son arrivée au jour un jusqu'à son départ au jour dix, cet homme n'était plus du tout le même et cela se percevait dans son visage. J'étais tellement dépassé et estomaqué que j'ai été incapable de prononcer une seule phrase sauf un petit merci.

Je vous pose cette question. Selon vous, qui avait enseigné réellement à qui ?

C'était exactement ce qu'on se plaît à appeler « un ange déguisé en trou de cul ».

Des anges comme ça, il y en a plein autour de nous. Ils portent tous leurs particularités.

Premièrement, ils ne portent pas d'ailes et s'ils en portent, elles sont invisibles.

Deuxièmement, ils ne savent même pas qu'ils sont des anges par l'importance qu'ils ont eue en croisant notre route et par ce qu'ils ont fait inconsciemment.

Troisièmement, ils croisent notre chemin avec un cadeau contenant un bijou d'une valeur inestimable qui nous est destiné si nous arrivons à désamorcer la bombe en le déballant en pleine conscience.

Si vous en avez plusieurs anges comme ça dans votre vie, qui tournent autour de vous, dites-vous que vous avez de belles et grandes opportunités de croissance personnelle à cueillir devant vous. Votre vie est sur le point de se transformer.

Envoyez-leur de l'amour, je vous jure que c'est la meilleure des actions à faire. Toujours !

L'amour, toujours l'amour !

Aujourd'hui l'amour, la bienveillance, la compassion sont dans tous mes enseignements. Pourquoi ? Parce qu'un jour, il y a eu un ange que j'aime appeler un ange déguisé en trou de cul, qui s'est présenté sur ma route pour me faire prendre contact avec mes propres souffrances.

Habité d'un niveau d'éveil assez vigilant, je suis arrivé à accepter ce que je faisais comme expérience, à transcender ma manière d'être et ma manière de réagir face à ce qui était présent et qui faisait réagir mon mental et mes souffrances.

J'ai accueilli en pleine conscience ce que la vie mettait dans mon assiette à ce moment et j'ai laissé la nature faire son œuvre. J'avais vraiment besoin de comprendre et d'intégrer en passant par cette expérience.

Tout est toujours parfait !

Il n'y avait pas de meilleures places au monde, de meilleures circonstances ou synchronicités pour apprendre ça. Je n'aurais pas pu l'apprendre dans un livre. Je l'ai appris en expérimentant directement et en activant ce pouvoir-là d'amour qu'on porte en nous tous. À la fin de cette expérimentation, cette personne est venue me voir me livrant le bijou qui m'était spécialement destiné en me disant : « tu m'as tellement fait de bien. »

C'est comme s'il était venu me dire :

« Je viens te confirmer que le pouvoir de l'amour peut guérir absolument tout, et tu le portes en toi. Partage-le avec tout le monde. »

L'amour fait des miracles. On doit arriver à activer ce pouvoir exceptionnel qui nous permet de nous libérer en se donnant à nous-même de l'amour, de la bienveillance et de la compassion.

Trop souvent, on est dur avec nous-même. Trop souvent, on veut performer, comme on l'a vu dans le « pattern » de la performance et on est trop exigeant par rapport à nous-même.

Si on apprenait de plus en plus à devenir notre meilleur allié au lieu d'incarner notre pire ennemi.

Si le pouvoir de l'amour a fonctionné par rapport à ce type lors de cette expérience de Vipassana, il a aussi fonctionné par rapport à moi et m'est revenu dans une force quintuplée. La beauté de tout ça, c'est que je ne peux pas donner ce que je ne porte pas à l'intérieur de moi.

Quand j'accepte d'être dans le service et le don, que je me place en mode contribution, je place toute mon attention sur l'amour et l'entraide. Les fréquences qui en émergent, m'élèvent et me permettent de me libérer. Quand je me positionne dans l'amour, cette fréquence que j'active à l'intérieur de moi apaise instantanément mon esprit.

Tous interconnectés !

Nous sommes interconnectés entre nous, tous autant que nous sommes. Nous apprenons constamment les uns des autres. Votre conjoint vous fait réagir, votre patron vous fait réagir, que ce soit vos amis, votre père, vous-même, vos frères et sœurs, peu importe, tous ceux autour de vous qui interagissent, sans le savoir la plupart du temps, et qui nous plongent en mode réactionnel, ont un cadeau à nous offrir. Ils ne le savent même pas ! C'est ça la réalité, c'est qu'ils ne le savent même pas !

Mais ça, ce n'est même pas important. Dans un cheminement de pleine conscience, votre mission est d'apprendre à déballer le cadeau qu'on vous offre pour en extraire le contenu. Et lorsqu'on y arrive, on voit arriver de moins en moins de résistances dans nos vies.

J'ai maintenant une question pour vous. Est-ce que vous pouvez vous permettre d'accueillir et d'accepter ce que vous faites comme expérience en ce moment ?

Un pas à la fois, s'il le faut, mais en pleine conscience. Pas pour les autres, mais pour vous-même !

Ce que vous faites comme expérience en ce moment, vous l'avez en quelque sorte attiré vous-même à vous, parce que vous le portez en vous. Et c'est *ok* !

Ça fait partie du grand jeu de la vie. Mais rappelez-vous la célèbre phrase d'Albert Einstein que j'ai illustrée plusieurs fois dans ce livre : « *On ne peut solutionner un problème au même niveau de conscience qu'il a été créé* ».

Peux-tu accueillir ce qui est ? Peux-tu accepter ce que tu fais comme expérience en ce moment ? *It's a process*. Cela aussi changera ! Crois-moi, tout est toujours parfait !

Utilise l'amour en regard de toi quand tu prends le temps de te regarder dans le miroir. Utilise l'amour par rapport à tes enfants, l'amour, la tolérance. Parce que si tu es dur avec toi-même, si tu es exigeant par rapport à toi, si tu pratiques l'auto-sabotage ou le jugement, tu risques de voir tes enfants développer exactement le même « pattern » et cela, tu ne leur souhaites pas !

Ils ne vont pas faire ce que tu vas leur dire de faire, ils vont répéter ta manière d'être ! Si on met trop de pression, ça va être la culpabilité ou le sentiment de ne pas en faire assez et de n'être jamais à la hauteur qui va les habiter. Nous servons tous de modèle pour quelqu'un car nous sommes tous interconnectés les uns aux autres.

Assurons-nous de livrer au monde entier un message inspirant !

L'amour guérit tout !

À partir de maintenant, est-ce qu'on peut faire le choix intelligent de vouloir vivre en pleine conscience ? L'amour guérit tout et fait des miracles. Il apaise notre esprit et nous offre ce sentiment de plénitude. L'amour ramène la reconnexion à l'intérieur de nous.

Je vous donne un petit défi à relever que je donne souvent lors de mes retraites Kaizen. À chaque fois que vous allez croiser un miroir, vous allez vous arrêter devant, vous regarder droit dans les yeux en disant : « je suis fier de toi ».

Que ce soit dans votre salle de bain, au restaurant, au travail, dans l'auto, bref partout où vous croiserez un miroir, faites l'exercice de l'amour de soi.

Au début, ça ne sera pas toujours facile. Je me rappelle les premières fois où j'ai commencé à me regarder pour faire cet exercice, je n'étais pas du tout capable de me dire que j'étais fier de moi.

J'étais quelqu'un qui avait le « pattern » de performance enclenché dans le tapis, donc j'étais très dur avec moi. Je ressentais beaucoup de culpabilité et j'étais dans l'auto-sabotage car je m'en voulais beaucoup.

J'avais pris des décisions dans le passé que je regrettais amèrement ! J'avais honte de me regarder dans le miroir. Je ne méritais pas de me dire que j'étais fier de moi.

Mais si je reste là-dedans, je couve le virus que je vous ai partagé dans le chapitre sur les « patterns » de la performance. Ce virus-là est urgent à libérer.

Être notre meilleur allié !

Ayons la ferme intention de vouloir dès maintenant devenir notre meilleur complice et non notre pire ennemi. Pour retrouver ce meilleur complice en nous, nous allons avoir besoin de lui porter attention. Nous allons en prendre soin et le reconstruire, brique par brique.

Nous allons avoir besoin d'être bien vigilant et de bien s'observer afin de se maîtriser. Et finalement, nous aurons besoin de nous donner beaucoup, beaucoup, beaucoup d'amour, de bienveillance et de compassion. Tout ça, un pas à la fois, et au meilleur de nos capacités.

Pour ça, nous aurons besoin de nous donner une tape sur l'épaule de temps en temps en se disant, tu sais quoi ? « Je suis fier de moi. Je mérite le meilleur dans la vie. Oui, peut-être qu'on n'a pas toujours pris les meilleures décisions, mais *it's ok* ! »

Faites le choix de laisser derrière ce qui doit être derrière. Libérez votre attention afin d'activer votre véritable potentiel de création, ici et maintenant.

Répète-toi, à partir de maintenant : on va marcher main dans la main. À partir de maintenant, on va être des alliés toi et moi. Et si présentement, juste à lire ces lignes-là, ça te rend émotif, *it's ok* ! Laisse monter tout ça ! Accueille ce qui est. Tout est toujours parfait.

Rappelle-toi, tu avais une intention au début de ce livre. Probablement que tu as eu certaines réponses déjà. Tu en recevras assurément d'autres dans les prochains jours et les prochaines semaines.

Écoute la vie. Écoute ton corps. La vie te parle à chaque instant. S'il y a une émotion qui émerge, accueille-la. Apprends à te dire : je t'aime. Je suis fier de toi. Et regarde-toi droit dans les yeux dans le miroir lorsque tu le fais.

Pas comme d'habitude lorsque tu te prépares rapidement pour mettre ton maquillage, te sécher et te peigner les cheveux, te brosser les dents. C'est correct de faire ça. Mais prends une, deux, trois, cinq secondes de plus pour te regarder droit dans les yeux.

De regarder que derrière les yeux, il y a autre chose qui regarde. C'est quelque chose de plus grand, quelque chose qui ne demande qu'à se manifester. Cette vraie partie de toi qui te voit. Cette vraie partie de toi ne demande qu'à ÊTRE LIBRE tout simplement. Elle ne demande qu'à reconnecter à l'intérieur de toi. Une partie de toi sait déjà tout ça, n'est-ce pas ?

Le chemin de la reconnexion !

Il est maintenant important de lui faire de la place, il faut l'accueillir. Il faut accepter à chaque instant ce que je fais comme expérience. En toute humilité, accepter de fonctionner en cohérence avec ce grand plan-là. Tout est toujours parfait, parfaitement orchestré. Tout conspire à te ramener à ta reconnexion, à la reconnexion de qui tu es réellement.

Apprends à te dire : je m'aime et je suis fier de moi.

Dorénavant, à chaque fois que tu vas croiser un miroir, à chaque matin, tu vas aller te regarder dans les yeux et répète-toi en pleine conscience : « Je m'aime et je suis fier de moi. »

Et si les pleurs, les émotions embarquent, c'est ok ! Laisse-les aller. Cela aussi changera. *It's a process.*

Aujourd'hui, je suis capable de me dire tout ça devant des milliers de personnes sur une scène, ou encore en vidéo. Pourtant avant, je n'étais même pas capable de me le dire juste devant moi.

Si je n'arrivais pas aujourd'hui à me dire que je suis fier de moi, jamais je n'aurais pu écrire ce livre-là que j'ai fait avec vraiment tout mon amour pour vous.

Vous savez quoi ? Je suis vraiment fier de moi et je m'aime.

Et vous, est-ce que vous vous aimez vraiment ? Est-ce que vous êtes vraiment prêt à transcender votre vie ? Est-ce que vous êtes vraiment prêt à devenir votre meilleur allié, votre meilleur complice ? Est-ce que vous êtes vraiment prêt à accueillir ce qui est ? Est-ce que vous êtes vraiment prêt à vous reconstruire en pleine conscience et à devenir la meilleure version de vous-même ?

Parce qu'il est toujours temps de se reconstruire. Il ne faut pas attendre après notre père, après notre mère, ou après nos amis pour se reconstruire. Il ne faut pas non plus attendre que notre conjoint(e) ou le gouvernement nous sauve. Il y a une seule et unique personne qui peut te permettre de réaliser ton plein potentiel et t'amener le véritable bonheur et c'est toi.

La reconstruction passe par la reconnexion. Nous sommes responsables de notre bonheur. Nous sommes responsables de devenir nos meilleurs alliés. Nous sommes des êtres humains, la plus belle machine qui soit. Il est capital d'honorer notre divinité.

Plus vous allez honorer votre divinité, plus vous allez être en paix avec ce qui est et avec qui vous êtes vraiment. Par le fait même, en cours de route vous allez saisir qu'en réalité, tout est déjà là ! Moins vous allez vous prendre au sérieux dans ce grand jeu, plus vous allez arriver à saisir que oui, c'est vrai... Tout est toujours parfait.

Vous devez développer en continu votre faculté de maîtrise afin de devenir jour après jour la meilleure version de vous-même. Maîtrisez vos réactions, afin d'accueillir ce qui est et faire « Go with the flow » avec la vie. Construisez en vous le nouveau complice rempli de tolérance, d'amour et de bienveillance qui sera pour toujours votre meilleur allié qui vous dira : « Je suis fier de toi ! Bravo ! Continue ! Ce n'est pas grave ! Ne t'en fais pas ! Relève-toi ! C'est la vie ! C'est les cycles de la vie. Tout change ! Tout est à l'intérieur de toi à chaque instant. Un pas à la fois, it's a process ! C'est ok, tout est toujours parfait, je crois en toi. »

Parce que ce voyage-là, il a une date d'expiration et qu'on ne la connaît pas d'avance, mais que d'ici à ce qu'elle arrive, permettez-vous de vous réaliser pleinement et d'activer votre véritable potentiel créateur. Parce vous méritez ce qu'il y a de meilleur dans la vie, point final !

Je vous aime, je vous adore !

Que ce livre puisse vous permettre de vous reconnecter avec votre véritable nature et vous permettre aussi d'accueillir toute l'abondance que la vie a à vous offrir.

Conclusion

Conclusion

Vous savez, parfois on tremble, parfois on doute, parfois on se demande si tout va se passer comme il se doit. Mais en réalité, ça se passe toujours comme il se doit. Dans le grand plan, tout est toujours parfait !

Lorsque j'étais jeune, j'étais incapable de parler devant ma classe à l'école. J'avais peur de faire rire de moi et mon estime personnelle était très basse. Je faisais tout pour manquer des journées et particulièrement lorsque je savais d'avance, celles où il y avait des exposés oraux.

Mais parfois, malgré toutes mes ruses d'adolescent, il était impossible de m'y soustraire. J'étais donc obligé d'être présent et de le faire. Je me souviens que c'était les pires moments de tout mon primaire et secondaire. J'angoissais juste à y penser et je me comparais toujours aux autres. Je percevais à ce moment que c'était facile pour eux et ils étaient donc bien meilleurs que moi.

Plusieurs années plus tard, je fais des conférences partout dans le monde et j'endosse mes propres couleurs, je m'exprime à ma manière à moi. Je m'assume tel que je suis, sans masque, en laissant tout simplement parler mon cœur. Les gens et les organisations de partout dans le monde paient et se déplacent pour entendre ce que j'ai à partager. Et pourtant j'avais si peur dans ma jeunesse de prendre la parole en public.

En ce moment même où je vous partage ma pensée et où j'écris la conclusion de ce livre, c'est vraiment un grand jour pour moi. J'ai également toujours été effrayé par l'écriture et cela, très peu de gens le savent.

À l'école, j'échouais tous ces examens où il faillait remettre des compositions écrites sur un sujet qu'on devait élaborer et développer. Ce n'était tellement pas ma force. Je passais mon temps à me comparer avec mes amis qui eux, réussissaient très bien. Cela affectait inévitablement mon estime personnelle et bien sûr, ma confiance. Heureusement, j'ai malgré tout réussi mon secondaire et j'ai développé par la suite d'autres aptitudes.

Durant l'écriture de ce livre, je reconnais avoir aussi écrit pour me libérer. Me libérer l'esprit d'une pensée qui me poussait depuis longtemps à écrire. Allez, écris ! M'insufflait mon âme. Mais, d'un conditionnement inconscient, je remettais toujours ce projet à plus tard. Je savais très bien que je devais écrire, j'ai donc décidé de suivre cette guidance. J'avais besoin aussi de le faire pour me déposer et saisir le loisir de m'offrir en toute vulnérabilité et faire du mieux que je pouvais, une fois de plus.

Aujourd'hui, je peux me dire, même avant de savoir si ce livre sera un succès ou pas :

« Bravo, je suis fier de toi mon grand, je t'aime. »

Oui oui, de moi à moi.

J'ai aussi choisi de me libérer de ces jugements qu'ont certaines personnes qui gravitent autour de moi et qui auraient tendance à émettre l'opinion suivante :

« Tu es qui toi pour écrire un livre ? Tu n'es pas habité par le syndrome de l'imposteur ? »

Non ! Aujourd'hui je peux affirmer sans le moindre doute que je suis libéré de ce genre de pensées. Je crois que tout le monde peut aider quelqu'un. Pas besoin d'être un coach certifié pour aider quelqu'un à mieux se comprendre. Pas besoin d'être un conférencier pour parler devant des gens, pas plus que nous n'avons besoin d'être un grand écrivain pour partager par notre manière d'écrire, notre façon de voir les choses. Peu importe qui on est, on va toujours arriver à toucher une personne lorsqu'on décide de s'ouvrir et de livrer ce que notre cœur contient en toute vulnérabilité !

Ce soir, à la suite de l'écriture des huit chapitres composant ce livre, alors que je célébrais avec une coupe de vin à la main, j'ai reçu les commentaires suivants :

« J'adore, c'est toi »

« Tu m'as fait pleurer »

« Tu m'as tellement fait réfléchir »

« J'en veux encore, j'ai hâte de lire ton prochain livre. »

C'est super n'est-ce pas ? Mais j'ai aussi reçu :

« C'est bien, mais je crois que 50 % des gens vont aimer et 50 % vont détester car tu écris comme tu parles et je n'ai jamais vu ça dans un livre. »

Heuuuuuuu, *It's ok* ! Tout est toujours parfait ! Vont détester ??

Ces propos venaient d'un ange placé sur ma route. Un ange déguisé en...je vous laisse le soin de compléter cette dernière phrase.

Un ange qui venait, sans le savoir, tester l'estime que je me porte à moi-même. Est-ce que je fais les choses pour être aimé par tous ? Est-ce que je suis prêt à partager ce travail et à me livrer, en toute humilité, tel que je suis, au monde entier ?

Est-ce que ce livre que je viens d'écrire, avec toute mon âme et mes tripes, est vraiment à mon goût ?

Et si les critiques n'étaient pas bonnes ? Et si cette personne avait entièrement raison et que 50 % des gens n'appréciaient pas, me jugeaient et se moquaient de moi et de ma plume ?

Mon mental aurait pu partir de tous bords et de tous côtés. Surtout que ce commentaire venait d'un ange déguisé en...ma conjointe. Oui cette ange avec qui j'ai choisi de partager ma vie est aussi ma muse et complice de vie. Nathalie m'a tellement fait progresser au cours de ma vie, et ça m'a tout l'air qu'elle le fait encore même après huit ans de vie commune. Elle trouve le moyen de me mettre en réaction, face à mes blessures et ce, la majorité du temps, sans le savoir et non intentionnellement. C'est comme si son âme savait exactement quoi faire pour faire réagir mon ego, pour me secouer, pour me tester et pour me permettre de faire émerger mes souffrances afin de me libérer de plus en plus. Mais je l'aime bien au delà de son petit côté critique. Ça la rend sexy et imparfaite, car sinon elle serait trop « hot » !

« C'est bien, mais je crois que 50 % des gens vont aimer et 50 % vont détester car tu écris comme tu parles et je n'ai jamais vu ça dans un livre. »

Ouff, ça peut faire mal et faire peur un point de vue comme ça d'une personne que tu aimes, n'est-ce pas ? Je dois vous avouer que ça a secoué l'estime de moi-même quelques minutes. Ok, je vais être honnête, j'ai été ébranlé quelques heures, mais elle n'en savait rien.

En ayant la critique facile et le jugement rapide, elle me permet d'accueillir et de tester l'éventuelle opinion pouvant être émise sur moi par les lecteurs. Elle me permet de tester l'amour-propre que j'ai envers moi-même, ainsi que mes convictions. Elle a tellement un rôle important dans ma vie. Et tout ça indirectement et sans le savoir, elle m'enseigne à chaque instant. Et je l'adore, c'est ma muse ! Je pourrais écrire plusieurs tomes sur ce que peut m'inspirer ma douce moitié au quotidien. Ma muse m'a cette fois-ci inspiré la conclusion de ce livre. J'avais tout écrit et je me demandais comment terminer. J'ai demandé, et j'ai donc reçu. Ça se présente rarement comme nous l'aurions voulu.

Et vous ? Comment auriez-vous pris un commentaire de la sorte exactement le soir de l'aboutissement d'un projet, d'un rêve et lors des célébrations ? Auriez-vous douté de vous ?

Assurément, il y a des gens autour de vous qui vous mettront au défi face à vos rêves et vos convictions. Ils ne le savent peut-être même pas qu'ils agissent ainsi, mais leur raison d'être dans ce grand plan est de vous faire grandir et de vous permettre de vous reconnecter à votre essence profonde. Apprenez à les observer et les accueillir avec amour, c'est la clé. L'amour est toujours la réponse. Ne réagissez pas impulsivement, observez ce qui se passe en vous et ensuite, envoyez-leur de l'amour. Ils en ont besoin, tout comme vous !

Avancez toujours vers votre idéal de vie. Croyez en vos rêves les plus fous. Faites toujours un pas et ensuite un autre. On se prend trop au sérieux dans ce grand jeu de la vie. Eh oui ! J'écris peut-être comme je parle, mais l'important est que le message transporté arrive à bon port pour être reçu et compris, l'important n'est pas le messager, n'est-ce pas ?

Ce livre, ***Tout est toujours parfait*** est le premier de plusieurs autres livres. J'en porte en moi la conviction profonde. Certainement qu'il aurait pu être plus que parfait. J'aurais pu prendre encore six mois pour l'élaborer et vous le livrer. J'aurais pu tester et faire des révisions à n'en plus finir par 40 personnes différentes et voir et revoir sans fin certains chapitres. Mais si je l'avais fait comme ça, ce serait le « pattern » de la performance et mon insécurité qui auraient piloté ma machine et mon projet. Je préfère de loin l'option de voir ce qui se passe quand je passe à l'action, même si je sais que ce n'est peut-être pas parfait.

Après tout, ce que je vous partage comme philosophie dans ce livre est que tout est toujours parfait !

Mais tout ce processus se situe au-delà de la simple compréhension d'écrire un livre. Ce livre n'est que le véhicule, le moyen que j'ai choisi afin de libérer mon âme et me permettre d'être qui je suis vraiment. En accueillant, en toute vulnérabilité, ce qui coulait en moi, en vous partageant ce qui se loge au plus profond de mon cœur, naturellement que je m'expose à mille et une critiques et à une possibilité infinie de jugements. Mais, d'un autre côté, je crée aussi de l'espace dans mon esprit, je libère de la place. Dans quelques semaines, je serai ailleurs parce que je serai passé à l'action et que ce livre se retrouvera entre les mains de plusieurs milliers de personnes.

Quand ça fait plusieurs années que tu te dis : je vais dire et écrire ça, et que jamais rien n'avance, cela ne mène nulle part, ça n'apporte rien, cela ne fait que saturer notre esprit de pensées qui occupent une place gratuite dans notre esprit en tournant en boucle. Vaut mieux passer à l'action maintenant et s'améliorer un pas à la fois en cours de route. Cette approche efficace que j'utilise dans ma vie fonctionne vraiment pour tout.

Tout comme pour ma première conférence, tout comme la première fois où j'ai fait du vélo alors que je n'étais qu'un enfant, ou encore lorsque j'ai fait mes premiers pas, la version de qui je suis réellement s'améliorera en cours de route. Un jour, je passerai de débutant à pro, même dans le domaine de l'écriture. La vie ne cherche qu'à s'élever et ce, dans tout. Mais encore faut-il oser se lancer un moment donné. Encore faut-il prendre un premier envol vers votre idéal de vie. Moi pour écrire mon premier livre, c'était ici avec vous.

J'espère que ce livre vous aura fait réfléchir et que vous êtes arrivés à comprendre certaines clés importantes de la pleine conscience. J'espère aussi qu'il aura pour effet de vous aider dans votre cheminement vers la pleine réalisation de la meilleure version de vous-même.

Rappelez-vous, c'est dans le processus de l'application que les connaissances s'impriment et passent d'un stade de connaissance à un stade de compréhension, puis d'intégration et finalement de libération.

J'ai usé de plusieurs répétitions lors de ce livre et c'était volontaire. L'esprit humain retient de deux façons. Soit il vit un choc et l'information se grave dans sa mémoire, soit il retient à coup de répétitions. Moi, comme je suis un gémeaux ascendant perroquet, j'ai choisi de répéter et répéter et répéter ce que je voulais vous enseigner afin que ces informations fassent leur chemin en vous.

À votre tour de jouer maintenant ! Avez-vous un projet que vous souhaitez voir se réaliser ? Pouvez-vous faire, ne serait-ce qu'un seul pas dans cette direction ? Vers la direction de l'accomplissement de votre idéal de vie et vous ouvrir sur ce que la vie vous proposera ?

Il y aura, au cours de ces grands cycles de progressions et changements, des résistances certes, mais aussi énormément de périodes d'expansions et je dirais même que vous ferez l'expérience de sauts quantiques vers votre pleine réalisation. Mais pour vivre cela et avoir cette sensation de pleine réalisation, il importe absolument d'être prêt à accueillir ce qui est et de ne surtout pas y résister. L'ego peut être une autre grande limitation dans ce jeu de la vie.

Et si on se prenait trop au sérieux dans ce monde où tout est toujours parfait ?

Croyez en vous, croyez en la vie. Vous êtes privilégiés de venir jouer ici. Savourez chaque instant de la vie, du mieux que vous le pouvez, et réapprenez, un pas à la fois, à rêver et à vous émerveiller comme lorsque vous étiez un petit enfant.

C'est maintenant le temps d'accueillir ce qui est. Laissez la vie être la vie à travers vous, vous ne serez pas déçus, c'est une promesse. D'un ami qui se réalise pleinement et qui vous adore tellement !

Avec tout mon amour,
François
Maintenant pour la première fois : Auteur

Suggestions de lecture suite à mon livre :

Le Pouvoir du moment présent – Guide d'éveil spirituel
par Eckhart Tolle,

L'Alchimiste
par Paulo Coelho,

Les 4 accords toltèques
par Don Miguel Ruiz,

Le pouvoir de choisir
par Annie Marquier,

La liberté d'être
par Annie Marquier,

Le maître dans le cœur
par Annie Marquier,

Reconnecte avec Toi
par François Lemay et Martine Cédilotte,

L'Art de vivre : méditation Vipassana
enseignée par S.N. Goenka,

Le pouvoir de l'intention
par Wayne Dyer.

Tout est
toujours PARFAIT!

Vous avez apprécié ce livre ?

J'ai un cadeau pour vous !

Parce que vous méritez
ce qu'il y a de meilleur dans la vie.

C'est pourquoi j'ai décidé de
vous offrir un programme vidéo en
7 capsules pour apprendre
à vivre en pleine conscience et ce,
totalement gratuitement.

**7 jours pour apprendre
à vivre en pleine conscience**

Il suffit de vous rendre sur cette adresse
et de vous inscrire.

www.academiekaizen.ca

C'est aussi ça
« demandez et vous recevrez ».
Au plaisir de vous retrouver,

François Lemay

Notes

Notes

Notes

Notes

Notes

Notes